AIと共に働く

ChatGPT、生成AIは私たちの仕事をどう変えるか

小林雅一

ワニブックス
|PLUS|新書

Model：GPT-4

MA ねえ、ChatGPT。君は、いつも定時で会社の仕事を終えて帰宅したい人と、朝から晩までバリバリ働いて出世したい人のどちらに役立つと思う？

私、ChatGPTはユーザーがどのような目標を持っていても、それを達成するための情報提供や問題解決の助けを提供することができます。そのため、定時で会社の仕事を終えて帰宅したい人と、朝から晩まで働いて出世したい人の両方にとって役立つと思います。

定時で会社の仕事を終えて帰宅したい人に対しては、時間管理や仕事の効率化、ストレス管理に関する情報を提供することができます。一方で、朝から晩まで働いて出世したい人に対しては、キャリアアップに必要なスキルや戦略、マネージメントやリーダーシップに関する知識を提供することができます。

それぞれの目標や価値観に合わせて、必要な情報やツールを提供することでサポートを行うことができます。

冒頭のスクリーンショット（の模式図）は、筆者（MA）が対話型ＡＩ（人工知能）の「ChatGPT」（　）と実際にチャット（会話）したときの様子です。ちょっと答え難《にく》い二者択一の質問にも、このＡＩはそつなく答えているのが分かります。

続いて「あえてどちらかを選択するなら、どっちの方に役立つと思う？」と筆者が聞くと、ChatGPTは「朝から晩まで働いて出世したい人に役立つ可能性が少し高いかもしれません。私は24時間利用可能であり、出世を望む人が長時間働く傾向があると考えると、いつでも質問に答えたり、情報を提供したりできます」と答えました。

「なるほどな」と感心し、その後もしばらくChatGPTとの雑談を続けました。既にお使いになった方ならご存じの通り、このＡＩはほぼ人間並みの言語能力と類《たぐ》いまれな博識を誇り、どんな質問にも淀《よど》みなく答えてくれます。また（少なくとも筆者が使ってみた限りでは）言葉遣いや態度も礼儀正しく、こちらの気に障るようなことも言いません。

しかもユーザーが何を言ってもＡＩが怒ったり泣いたりすることはありませんから、むしろ本物の人間を相手にするよりも気楽に話せたり使えたりするという面もあります。仕事のアシスタントとして採用するなら、これほどの適材は他に見当たらないでしょう。

このChatGPTに続いて、マイクロソフトの対話型検索エンジン「ビング（Bing）」や「（ワープロ、表計算など業務用ソフトを言葉で操作できる）コパイロット［Copilot］」、さらにグーグルが提供する対話型ＡＩ「バード（Bard）」や同じく対話型の検索エンジン「ＳＧＥ」など、仕事に活用できる便利な人工知能が次々と登場してきました。

これらの「言葉で操作できる高度なＡＩ」、つまり人間の言うことを聞く「有能なアシスタント（としての人工知能）」を使いこなせば、日頃の定型業務を中心に仕事の効率性が飛躍的に高まると期待されています。

他方で、これら新顔のＡＩアシスタントは（あくまで比喩的な表現ですが）「性格上の問題」も抱えています。それは自分の実力ではできないこと、あるいは答えられないことを正直に「できません」「分かりません」と認めないことです。

つまり、これらのＡＩは素直に自分の限界を受け入れるのではなく、むしろ口から出まかせの嘘（捏造《ねつぞう》情報）や誤った情報などを回答して、その場をしのごうとする傾向があるのです。しかも、それらの誤情報や作り話が実《まこと》しやかな口調で語られるものですから、ユーザーがうっかり騙されてしまうことも珍しくありません。

実際、米国では職務歴が30年にも及ぶベテラン弁護士が過去の判例を調べるためにChatGPTを使い、まんまとその嘘に騙されて大恥をかいた上、罰金５０００ドル（70万円以上）を科されるという事態も発生しています。

こうした嘘や誤情報などは実はChatGPTに限った話ではなく、これら対話型ＡＩあるいは「生成ＡＩ」と呼ばれる最新鋭の人工知能に共通する問題と見られています。

これらのＡＩはまた著作権侵害などの問題も指摘されています。

ChatGPTやステーブル・ディフュージョン（Stable Diffusion）などの生成ＡＩはウェブ上に蓄積された膨大なテキストや画像、コンピュータ・プログラムなどの各種データを「機械学習」することで誕生しました。しかし、それらの学習用データが著作権者に無断で使用されたため、既に米国では一部のアーティストやプログラマー、作家らに加えて、日頃ＳＮＳやブログなどを使っている一般の消費者からも集団訴訟が起こされました。

日本でもイラストレーターや俳優、声優をはじめ様々なクリエーターや実演者の間から、生成ＡＩによる権利侵害や雇用不安を訴える声が高まっています。

これらプラスとマイナスの可能性を併せ持つ強力なＡＩに、私達は今後どう向き合い、どのように仕事に活用していけばいいのでしょうか。本書では具体的な事例なども随所に交えて、貴方と一緒に考えていきたいと思います。最後までお付き合い頂ければ幸いです。

２０２３年8月　著者

ＡＩと共に働く　目次

注意事項

・本書は２０２３年８月現在のChatGPT有料版（ChatGPT Plus）、および無料版、Bingチャット検索、を使用した情報を掲載しています。

・ChatGPT、Bingチャット検索の結果は、見やすさを優先するため、実際の画面をもとに、こちらで作成しなおしています（出力された文章は変更していません）。

・本書の情報は２０２３年８月現在のものをもとに掲載しています。各種サービスやアプリの概要などの変更、および価格の変更・販売中止等々がおこることがあります。あらかじめご了承ください。

・ＯＳのバージョンや機種などによって、各種サービスやアプリなどの操作や画面が異なることがあります。

・サービス名やアプリ名、会社名、製品名などにおける登録商標や商標に関しまして、本書においては、ＴＭ、Ⓒマークは明記しておりません。

・ChatGPTやBingチャット検索は回答が統一されておらず、毎回異なる回答を行います。本書掲載の回答は、あくまで一例です。

第1章　ChatGPT、生成AIとは何か

ＡＩ（人工知能）と共に働く――かつてのＳＦが今や現実です。

その先駆けは、米国のスタートアップ企業OpenAI（オープン・エーアイ）が開発した対話型ＡＩ「ChatGPT（チャットＧＰＴ）」です。２０２２年11月末のリリース（一般公開）から瞬く間に普及し、世界的なセンセーションを巻き起こしました。

ChatGPTはその呼称から想像される単なる「チャットボット（人間とお喋りをするＡＩ）」というよりも、実は私達の仕事を助けてくれる有能なアシスタントです。

その最大の長所は、史上空前の「自然言語処理」能力でしょう。

自然言語処理とは、ＡＩ（Artificial Intelligence）が「私達人間の言葉を理解して操る」技術あるいは能力です。ChatGPTでは、これが従来のチャットボットとは比べ物にならないほど高度な発達を遂げました。

これに加えて、ChatGPTは各界専門家に勝るとも劣らない「類いまれな博識」を誇ります。このため私達が発するどんな質問にもほぼ回答を返すことができます（そこには情報の誤りや捏造などの危険性も潜んでいるので警戒が必要ですが、これについては、もう少し後で改めて説明します）。

さらにChatGPTは長い文書を要約したり、外国語を日本語に翻訳したり、メールやレポート、企画書等を書いたり、コンピュータのプログラミングをしたりと様々な作業をこなせます。要するに私達が投げかける様々な質問やリクエストをAIが理解して、私達の日常業務を支援できるようになったのです。

ここから実際にChatGPTを使ってみましょう。もちろん本書をお読みの貴方も既にお使いかもしれませんが、そうでない読者の方のためにも、試しに使ってみるのが理解を深める一番の早道です。

まず最初に使うときには、パソコンからユーザー登録用のサイト（https://chat.openai.com/auth/login）にアクセスします。そこでご自分のメール・アドレスを入力してパスワードを設定。あとはOpenAIから送られてくるメールで認証作業などを済ませれば登録が完了し、すぐに使うことができます（iPhone/Android用スマホ・アプリとしても提供されています）。

まず最初は英語の文献を読んでいて意味が分からない表現に出くわしたので、それをChatGPTに聞いてみたときの様子です。

Model：GPT-4

MA bull in a china shopとはどういう意味かな？

"bull in a china shop"という表現は、英語の成句で、物事を不器用に、乱暴に、または思慮なく扱う人を指すために使われます。文字通りには、陶磁器の店に突然牛が入り込んだらどうなるか、という状況を想像すると分かりやすいでしょう。牛は大きくて力強い動物なので、繊細で壊れやすい商品が並ぶ陶磁器の店では大きな混乱や破損を引き起こすことでしょう。この表現は、人が不注意で物を壊したり、繊細な状況を取り扱う能力がないことを表すのに使われます。

MA china shopとは陶磁器の店のことなのか。それさえも知らなかったよ。恥ずかしいね。

全く恥ずかしいことではありませんよ。言葉や表現の意味を理解するのは、新たな知識を学ぶ一部です。"China"は英語で、一般的には"中国"を指しますが、"china"（小文字で書かれる場合）は陶磁器や磁器を指すこともあります。これは、かつて中国が高品質の磁器の主要な生産地であったことに由来します。なので"china shop"は、陶磁器や磁器を扱う店を指します。

それぞれの文化や言語には、独自の言葉や表現があります。それを学び、理解し、使いこなすことは、新しい視点を開く素晴らしい経験です。質問してくださってありがとうございます。何か他に質問があればお知らせください。

懇切丁寧で配慮の行き届いた回答であることは一目瞭然でしょう。ChatGPTは単に英語の意味を返すのではなく、その語源や歴史的な背景にまで言及して丁寧に教えてくれます。またユーザー（この場合、筆者）に対する言葉遣いや態度も礼儀正しいので、とても気持ちよく使うことができます。

もちろん、こうした意味の分からない英語表現を調べるなら英和辞典、あるいは「Google翻訳」や「DeepL翻訳」など翻訳専用サービスを利用するのも一つの手ですが、それらと比べてもChatGPTの答えは群を抜いている、というのが筆者の率直な感想です。

因《ちな》みにChatGPTには無料サービスと、月額20ドル（約２８００円）の有料サブスクリプション・サービス「ChatGPT Plus」の2種類があります。

無料サービスでは、そのベースとなる大規模言語モデル（ＬＬＭ）が「GPT-3.5」と呼ばれるものに固定されています（ＬＬＭとは何かについては、もう少し後の方で簡単に解説します）。

これに対し有料サービスでは、「GPT-3.5」と、それより新しいバージョンの「GPT-4」とを切り替えて使うことができます。もちろんGPT-4の方が、より高い性能を期待できます。筆者が先程の英語の成句に関する質問で用いたのもGPT-4です。

因みに同じ質問をGPT-3.5に投げかけてみたときには、実質的にはGPT-4とほぼ同じ回答が返ってきました。ただ、答えの文章が若干ぎこちなく不自然な印象を受けました。

もちろん質問やリクエストによっては、GPT-3.5とGPT-4とで回答の内容が全く異なるときもあります。その場合は、恐らくGPT-4の方が正解と見るべきでしょう。

しかし無料サービスでも普段の生活や仕事に十分役立つ、というのが筆者の偽らざる感想です。どちらを選ぶかは、試しに無料版を使ってみて、しばらく様子を見てから決めるというのがベストかもしれません。

コンピュータのプログラミング

ChatGPTはコンピュータのプログラミングも得意です。ここでは日用品のオンライン販売業者の棚卸を支援するプログラムをChatGPTに書かせてみましょう。

Model：GPT-4

MA 日用品などを扱うEコマース業者の棚卸を支援するプログラムをパイソンを使って書いて。具体的な諸条件は貴方が決めてください。

以下のスクリプトは、日用品などを扱うEコマース業者の棚卸を支援するための基本的なPythonプログラムです。このプログラムは以下の条件で動作します：

1. 商品のデータはJSON形式で保管されている
2. JSONデータには商品ID、商品名、カテゴリ、在庫数が含まれている
3. 商品IDは一意である

このプログラムでは、棚卸の過程を追跡し、在庫のリストを生成します。

```python
import  Json

#商品データを読み込む
def load_data(file_name):
    with open (file_name) as f:
        date = json.load(f)
    return data

#在庫が少ない商品を特定する
def check_stock(date, threshold):
    Low_stock_items = []
    for item in date:
        if item['stock']< threshold:
            low_stock_items.append(item)
    return low_stock_items
```

中略

```
        "name" : "シャンプー",
        "category" : "美容・健康",
        "stock" : 25
    },
    {
        "id" : "004",
        "name": "石鹸",
        "category" : "日用品",
        "stock" : 5
    }
]
```

このプログラムは単純化されていますが、データベースと連携したり、自動的に注文を生成したり、製品のカテゴリ別に在庫を追跡したりするように拡張することが可能です。

もちろん実際に本格的な業務用システムを構築するには、こんなに簡単な指示や手続きでは無理ですが、ChatGPTを使えば、この種のプログラミング作業が言葉によるリクエストで行えることは事実です。

本来、ChatGPTなどの対話型ＡＩは会話文のようなテキスト・データを生成することを想定して開発されました。しかし（後述する）「機械学習」と呼ばれるＡＩの訓練過程において、そのための学習用データ（training data）の中に偶々《たまたま》、大量のコンピューター・プログラムも含まれていました。これを学んだChatGPTは、テキストのみならずコンピューター・プログラムも生成できるようになったのです。

また２０２３年7月からは、ChatGPT PlusのGPT-4に導入された「Code Interpreter」機能によりパイソンで書かれたプログラムを実行できるようになりました。

著作権についての留意事項

ChatGPTは他にも、ユーザーからのリクエストに応じてメールや事業計画書を書いたり、外国語のテキストを翻訳したり、長文のドキュメントを要約したり、数学や物理の問題を解いたりと色々なことができます（当初は計算問題が苦手でしたが、その後GPT-4に導入されたCode Interpreter機能で高度な計算も可能になりました）。

その際、注意すべき点は、ユーザーがChatGPTに入力する文書などのデータ、逆にChatGPTが回答として出力するテキストやプログラムなどの著作権です。この扱いを誤ると他者の著作権を侵害する恐れがあるのです。

たとえば新聞や雑誌のオンライン記事などの文章をChatGPTに入力して、その要約を作成するような作業では、それらの著作物を入力するという行為自体は著作権侵害には当たりません。

問題はChatGPTの出力結果です。つまりユーザーの質問やリクエスト、情報の入力などに対し、ChatGPTが出力する様々な成果物をユーザーが自分のビジネスに活用しても構わないのか、ということです。

OpenAIの規約には、ChatGPTが生成した各種の成果物（コンテンツ）の利用には制限がない旨が明記されているので、これらの成果物を商用利用（たとえば出版）することは可能です。ただし成果物が既存の著作物と一致、あるいは類似している場合などは、それを無断で商用利用することは著作権侵害に当たるので止《や》めるべきでしょう。

こう聞くと、「既存の著作物と一致、あるいは類似しているかどうかを、どのように判定したらいいのか?」と思われるかもしれません。

良い質問です。答えは「自分で見て考えて判断するしかない」です。

率直に申し上げて、ChatGPTの成果物を商用利用することは「危ない橋を渡っている」ようなところが多少あります。つまり「絶対に大丈夫（一致・類似していない）とは言えないまでも、まあ多分大丈夫だろう」というようなスタンスです。

他方、ChatGPTの成果物を私的に利用すること（たとえば、単に「読む」といった行為）であれば、まず問題ありません。安全策をとるなら商用利用は自重して、あくまで私的利用に止《とど》めるべきでしょう。

もう一つ、注意しておかねばならないのは、ChatGPTが出力した成果物にユーザーの著作権は発生しないということです。ですから、その成果物を一般公開した場合、それを誰か他の人に無断で利用されても文句は言えません。

MA　超ひも理論とは何ですか？

超ひも理論は、数学の一分野であり、ひも状の構造を扱う学問です。超ひも理論は、トポロジーとよく関連しています。

超ひも理論では、ひも状の構造を扱うために、抽象的な概念を用います。例えば、超ひも、超面、超体などの基本的な概念を使い、それらを組み合わせて、ひも状の構造を表すことができます。

超ひも理論は、様々な分野で使われます。例えば、物理学では、分子や原子間の結合などを扱うために使われます。また、生物学では、生物の組織や系統構造を扱うためにも、超ひも理論が使われます。さらに、情報科学では、ネットワーク構造やWeb上のリンクなどを扱うためにも、超ひも理論が使われます。

AIの「誤り」や「幻覚」は対処可能か

冒頭で軽く触れたように、ChatGPTが返してくる回答やレポート、コンピュータ・プログラムなどの生成物は時に内容が誤っていたり、捏造された情報を含んでいることがあります。

たとえば上の事例は、筆者が物理学の先端理論についてChatGPT（GPT-3.5）に尋ねてみたときの様子です。

MA　それは嘘です。超ひも理論は素粒子物理学の理論でしょう。

ご質問いただいた内容について、お詫び申し上げます。先程提供させていただいた情報に誤りがありましたことをお詫びいたします。

超ひも理論は、素粒子物理学の一分野であり、宇宙の最小構成要素である素粒子を扱う理論です。超ひも理論は、素粒子の質量や相互作用を説明するために、ひも状の構造を用います。

超ひも理論は、物理学界で非常に重要な役割を果たしており、現在も様々な研究が行われています。
超ひも理論は、素粒子の物理的性質をより正確に理解することを目的としています。

この質疑応答の中で筆者が指摘したように、「超ひも理論」は素粒子物理学の理論です。従って「数学の一分野であり、トポロジーとよく関連しています」とするChatGPTの回答は誤りです。

いえ、このケースは単なる誤りというより、むしろ「情報の捏造」と言うべきでしょう。ChatGPTはまるで口から出まかせのように、あることないことベラベラとまくし立てているようにも見えます。

これに対し筆者がその誤りを指摘すると、ChatGPTは「先程提供させていただいた情報に誤りがありましたことをお詫びいたします」とあっさり認めた上で、改めて別の回答を提示してきました。この新しい回答の方は概《おおむ》ね正しいと見て良さそうです。

ChatGPT、あるいはこの種の対話型AIによる情報の捏造は一般に（生成AIの）「幻覚（Hallucination）」と呼ばれます。つまりAIが悪意をもって嘘をついているのではなく、何かの幻覚にでも襲われたかのようにデマやでっち上げを語ってしまうという意味です。

「だとすれば、ユーザー自身が情報の真偽を確かめる必要がある。それなら最初からChatGPTのようなAIに聞く意味がないじゃないか」と思われるかもしれませんね。

確かにその通りです。もしも、このようなことが頻繁に起きるようであれば、そもそもChatGPTを仕事に使うのは無理です。しかし筆者の感触では、こうした問題は時間の経過と共に改善されつつあります。

筆者がこの超ひも理論の質問をしたのは2023年1月のことですが、当時は確かにChatGPTの回答にはこうした幻覚や誤情報が多々含まれていた記憶があります。しかし、開発元のOpenAIがその後、製品の改良に取り組んだためでしょうか、最近はこうした酷い誤りは少なくなってきました。特に有料版サービスChatGPT PlusのGPT-4では、情報の精度が各段に高まったというのが実感です。

もう一つ申し上げたいのは、どんなビジネス・パーソンでも何らかの専門分野をお持ちだということです。ご自分の専門分野であれば、長年培った「専門性（専門知識）」や「勘」というものが働きますから、たとえChatGPTが誤情報や幻覚などの回答を返してきたとしても「この答えは何か変だな」とピンと来るはずです。

ですから、これは実は致命的な問題というより、ユーザーが注意を怠らなければ十分に対処できるものであると思われます。

情報漏洩や集団訴訟のリスクも

ChatGPTについては他のリスクも指摘されています。

その一つは「情報漏洩《ろうえい》の危険性」です。

開発元であるOpenAIの規約には「ユーザーがChatGPTに入力したプロンプト（質問やリクエストなど）はサービスの改善に使われるかもしれない」とする旨が記されています。

この「サービスの改善」とは、いわゆる（ＡＩの）「機械学習」のことを指しています。ChatGPTのような対話型ＡＩがユーザーの質問やリクエストを機械的に学習して、次回以降のサービス改善に役立てるという意味です。ただし「かもしれない（may）」という表現からも分かるように、必ずしも「そうしている」と断定することはできません。とは言え、大多数の見方に従えば「どうやら機械学習に使われているらしい」と考えるのが妥当なようです。

そうなると、ユーザーがうっかり自分の所属している会社の機密情報や顧客データなどをプロンプトとして入力してしまえば、そうした秘匿性の高い情報がChatGPTを経由して、同業他社のユーザーへと漏れてしまう恐れも出てきます。

実際、韓国のサムスン電子では２０２３年4月、従業員のエンジニアが社外秘のソースコード（コンピュータ・プログラム）や会議録等をうっかりChatGPTに入力したことが発覚しました。これらの情報が本当に他の企業へと漏洩したのかどうかは不明ですが、その可能性は否定できません。

これを受け、サムスン電子はChatGPTなどの生成ＡＩを社内で利用することを禁止した、と一部メディアで報じられています。

また、米アマゾン・ドット・コムも「ChatGPTの回答の中に、アマゾンの内部データと似ている情報が見つかった」として、２０２３年1月には同社従業員に対し「社内のコードや機密情報をChatGPTに一切入力しないように」とする通知を出したとされます。

２０２３年2月以降は米国のＪＰモルガン・チェース、バンク・オブ・アメリカ、シティグループ、ウェルズ・ファーゴ、ゴールドマン・サックスなどの大手金融機関が同様の理由から従業員によるChatGPTの使用を制限、あるいは禁止しました。

一方で、OpenAIの規約には「ＡＰＩ経由で入力されたプロンプトはサービス改善（機械学習）に使用しない」とする旨も記されています。ＡＰＩとは「アプリケーション・プログラミング・インタフェース」の略称で、あるアプリが別のアプリを利用するための窓口のようなものです。
OpenAIが提供するＡＰＩを介して、既に多くの企業がChatGPTを使った様々なアプリ（サービス）を提供しています。たとえば日本ではＬＩＮＥが提供する「ＡＩチャットくん」等がその代表ですが、これらの言わば「ＡＰＩ経由で間接的にChatGPTを利用するアプリ」であれば、そこに入力されるプロンプトは機械学習に使われない、ということになります。

つまり機密データなどの情報漏洩の危険性はほぼないということになりますが、情報セキュリティの専門家によれば「たとえ利用規約に書かれていたとしても、正式な契約に基づく決まりではない以上、絶対にそうだとは言い切れない」とのことです。

常識的に考えても、ChatGPTのように本来カジュアルなサービスに、社内の機密データや顧客情報などを入力することは厳に慎むべきでしょう。

またChatGPTは訴訟リスクにも晒《さら》されています。

２０２３年6月、米国のカリフォルニア州にある「クラークソン（Clarkson）」という法律事務所が主導する形で、ChatGPTの開発・提供元であるOpenAIに対し集団訴訟が起こされました。

「ChatGPTの機械学習には、大量のＳＮＳやブログ、ウィキペディアなどのデータ（コンテンツ）が無断で利用されており、それらの著作権やユーザーのプライバシーが侵害されている」というのが起訴理由です。

訴状には10人以上の原告が匿名で記載されており、その中には６歳の子供も含まれている模様です。彼らは裁判でChatGPTの機械学習に使われた自分たちのコンテンツに対する金銭的な見返りを求めています。原告側ではこれを「データの配当」と呼んでいます。

クラークソン法律事務所は６月以降も、訴訟に加わる新たな原告を募っていく予定とされます。

また翌7月には、米国の著名な作家やコメディアンらも「自分たちの作品や自伝が無断でChatGPTの機械学習に利用されている」としてOpenAIを集団訴訟しました。

さらにChatGPT以外では、「ミッドジャーニー（Midjourney）」や「ステーブル・ディフュージョン（Stable Diffusion）」など画像生成ＡＩも米国で集団訴訟のターゲットとなっていますが、それについては第2章で改めて紹介します。

生成AI、そしてそのベースにあるLLMとは何か

さて、このChatGPTはリリース開始から約2ヵ月間でアクティブ・ユーザー数が世界で約1億人に達し、スイスの大手金融機関UBSから「史上最速で成長した一般消費者向けアプリ」と認定されました。

この大成功に刺激され、マイクロソフトやグーグルなどビッグテック（巨大IT企業）がChatGPTのような対話型AIの開発・製品化に乗り出しました。

それらの紹介に移る前に、ここに至るまでのAI開発の歴史を簡単に振り返っておきましょう。

この10年ほどの世界的なAIブームでは、「ディープラーニング（deep learning：深層学習）」と呼ばれる人工知能の技術が、主に画像や音声などのパターン認識で大きな成果を上げてきました。これは私達人間にたとえれば、AIが「物事を見たり聞いたり

する能力」に当たります。

ところが、ＡＩ研究者達はその次のステップ、つまり「言葉の意味を理解して私達の言うことを聞く人工知能」を開発するところで苦戦していました。

ここに突破口を開いたのが、２０１７年末にグーグルの研究チームが提案した「トランスフォーマー」と呼ばれる新しいモデル（予測方式）です。

この方式では様々な文章などテキスト・データの文脈を理解しながら、ある言葉の後に続く言葉をかなり正確に予測できるようになりました。この技術は論文として学会発表されたので誰もが使えるようになりました。

このトランスフォーマーを使って、シリコンバレーを中心に「大規模言語モデル（Large Language Model：ＬＬＭ）」と呼ばれる新しい種類のＡＩの開発が盛んになりました。これはディープラーニングなどニューラルネットワークの「パラメーター」と呼ばれる要素の個数を、数億~数千億個というような途方もない規模にまで拡大したものです。

ニューラルネットワークとはざっくり言うと、人間の脳のメカニズムを（ごく初歩的な形ではありますが）模倣した人工知能であり、パラメーターとは「脳内のニューロン

（神経細胞）とニューロンがつながり合うシナプス（接合部）」に該当します（より正確にはシナプスの「結合強度」に該当するのがパラメーターです）。

つまりパラメーター（シナプス）が多くなればなるほど、ＬＬＭ（脳）は賢くなります。

ＡＩ研究者たちは、このようなＬＬＭにワールド・ワイド・ウェブ（インターネット）全体に含まれている膨大なデータを読み込ませて機械学習させました。これらのデータには私達が普段ＳＮＳに載せている文章、写真、動画などの情報や、ブログ、ウィキペディアの記事等々、あらゆる情報が含まれます。

これら多彩なデータを大量に消化・吸収して学習した結果、ＬＬＭは言葉を理解して話す（チャットする）ことができるようになったばかりか、段階的な推論を行ったり、（米国の大学院の入学選考に使われる標準テスト）「ＧＲＥ（Graduate Record Examination）」の問題を解いたりと、想定外のことができるようになりました。

これは専門家の間で「創発（emergence）」と呼ばれる不思議な現象で、ＡＩ研究者にもその理由は謎とされますが、まさに今のＡＩブームの背景にあるものです。

因みに創発とは本来、生物の進化論でよく使われる言葉で、進化の過程で生物の仕組みや生命現象などが複雑さを増すに連れ、それがある閾値《いきち》を超えたときに、それまでのペースからは想像もつかないような飛躍的な進化を遂げることを指します。

ＡＩの開発でも、ＬＬＭの登場によって、まさにこの生物と同様の劇的な進化が起きたというわけです。

また、こうした新種のＡＩ（ＬＬＭ）はテキスト以外にも（ある程度のカスタマイズを経て）画像や音楽、動画など様々なコンテンツを生成することから、一般に「生成ＡＩ（generative AI)」と呼ばれます（厳密には、各種の生成ＡＩのベースにあるのがＬＬＭです）。

他方で、こうしたＡＩは「予測不能性」という深刻なウィークポイントも抱えています。前述の「創発」はまさにその一つですが、これは弱点というより、むしろ長所かもしれません。

しかし他にも人間の問いかけに対して、ＬＬＭが誤った情報を返してきたり、（前述の）「幻覚」と呼ばれる作り話をでっち上げたり、まるで人間のような「疑似人格（ペルソナ）」を育むなどして、ＡＩ研究者達を困惑させました。これらの現象は研究者にも予測不能であると同時に、どう対処すれば解決できるのかも分かっていません。

このため（トランスフォーマーを発案した当事者である）グーグルはこうしたＬＬＭ（生成ＡＩ）を製品化する段階で二の足を踏みました。それは確かに物凄い潜在能力を秘めていますが、他方で予測不能な振る舞いによってユーザーを困らせたり、フェイクニュースを拡散して社会を混乱に陥れるなどの危険性を秘めているからです。もしも本当にそんなことにでもなれば、これまで折角培ってきた自社の評判やブランドを致命的なまでに傷つけてしまうでしょう。

そこでグーグルはＬＬＭをあくまで研究開発の段階に止め、その先の製品化は自重しました。同社のこうした保守的な姿勢は、シリコンバレーを中心とする野心的なスタートアップ企業に思わぬチャンスをもたらしました。

この好機を最大限に活かしたのは、２０１５年にイーロン・マスク氏やサム・アルトマン氏ら有力起業家、そしてグレッグ・ブロックマン氏ら有能なソフトウエア開発者によってサンフランシスコに共同設立されたOpenAIです。

同社は当初、人類全体に寄与するＡＩの開発を目標に掲げた非営利の研究団体として設立されましたが、その後、事実上の営利企業、つまり先端ＡＩを開発するスタートアップ企業に生まれ変わりました。

OpenAIは２０１８年、トランスフォーマーをベースとする「ＧＰＴ（Generative Pre-trained Transformer）」と呼ばれる画期的なＬＬＭを開発しました。これは現在のGPT-3.5やGPT-4の端緒となった技術です。

ＧＰＴは当時、米国の大学の入学選考などに使われる英語の標準テストで出題される「文章の一部（単語など）が括弧で囲まれ空白となっている穴埋め式問題」などを解くことができました。

これに注目したのがマイクロソフトのサティア・ナデラＣＥＯです。

同氏はOpenAIのオフィスに招待されたとき、そこでの技術デモで目撃したＧＰＴの潜在的な可能性に気付きました。それがグーグルの検索エンジンに対抗する強力な武器になることを見抜いたのです。

このナデラＣＥＯがリードする形で、マイクロソフトは２０１９年以降、約30億ドル（３０００億円以上）もの巨額資金をOpenAIに出資して、その研究開発を支援しました。

元々マスク氏ら大物達によって設立されたとはいえ、所詮は従業員（主にＡＩ研究者）が僅か数百名（当時の人数。現在は１０００名以上）のスタートアップ企業に過ぎなかったOpenAIは、マイクロソフトという言わば「大金持ちのパトロン」を得たことで研究開発が一気に加速しました。

そして２０２２年11月末にリリースしたChatGPTが爆発的な大ヒットを記録し、OpenAIは突如世界的な注目を浴びました。自然な言葉で聞けば何でも答えてくれるChatGPTのような対話型ＡＩは、検索エンジンよりも単刀直入にユーザーの知りたい情報を提供してくれます。このため、そのベースにあるＬＬＭは検索エンジンにとって代わる新たなインターネット利用のプラットフォームになると期待されています。

つまりトランスフォーマーの発明者であるグーグルが躊躇《ちゅうちょ》している間に、OpenAIがＬＬＭを先に製品化して世に送り出し、その強力なパワーを白日の下に晒してしまったのです。

この20年以上にわたって世界のＩＴ産業を牛耳ってきた、難攻不落のグーグルの牙城がＬＬＭによってついに崩される可能性が出てきました。主役交代の予感に突き動かされ、今やシリコンバレーでは450社以上ものスタートアップ企業が「次のグーグル」を目指して様々な生成AIの開発に取り組んでいます。

しかし、これらの新興企業はいずれも肝心のビジネス・モデル、つまりお金儲けの方法を確立していません。

今や「日の出の勢い」を誇るOpenAIでさえ、2022年には約5億4000万ドル（700億円以上）もの損失を計上したと見られます（欧米メディアの報道より）。ChatGPTのベースとなるGPT-4などLLMの開発にはクラウド・コンピューティングなどの膨大な計算機資源が必要とされ、その使用料や優秀な人材の確保などに巨額の費用がかかるからです。

そんなOpenAIの頼みの綱は言うまでもなくマイクロソフトです。同社は2023年1月、（今後数年間にわたる）推定100億ドル（1兆3000億円以上）にも上るOpenAIへの追加出資を決めました。

同時に、その最新LLMである「GPT-4」を検索用にカスタマイズ（改良）して自社の検索エンジンBingに組み込むことで、ChatGPTのような対話型AIの機能を備えた検索エンジンを開発しました。この対話型Bingによって世界シェアが9割を越えるグーグル検索を追い落とし、インターネットを軸とするIT産業の新たな覇者になることを狙っています。

グーグルの対話型検索エンジンとは

一方、自身が当初躊躇したことから（OpenAIやマイクロソフトなど）ライバル企業に遅れをとり、足元を脅かされたグーグルもようやく重い腰を上げました。2023年5月に開催した開発者向けイベント「Google I/O」で、生成AI（LLM）の技術を多彩な新製品に組み込んでいくことを発表しました。

中でも注目を浴びたのは、同社の主力製品である検索エンジンへの取り組みです。グーグルは検索に（生成AIの一種である）対話型AIの機能を組み込むことで、従来よりもダイレクトかつ的確にウェブ上から情報を入手できるようにします。

グーグルはこれを「SGE（Search Generative Experience：検索生成体験）」と呼

図1　対話型AIを組み込んだグーグルの新しい検索エンジン

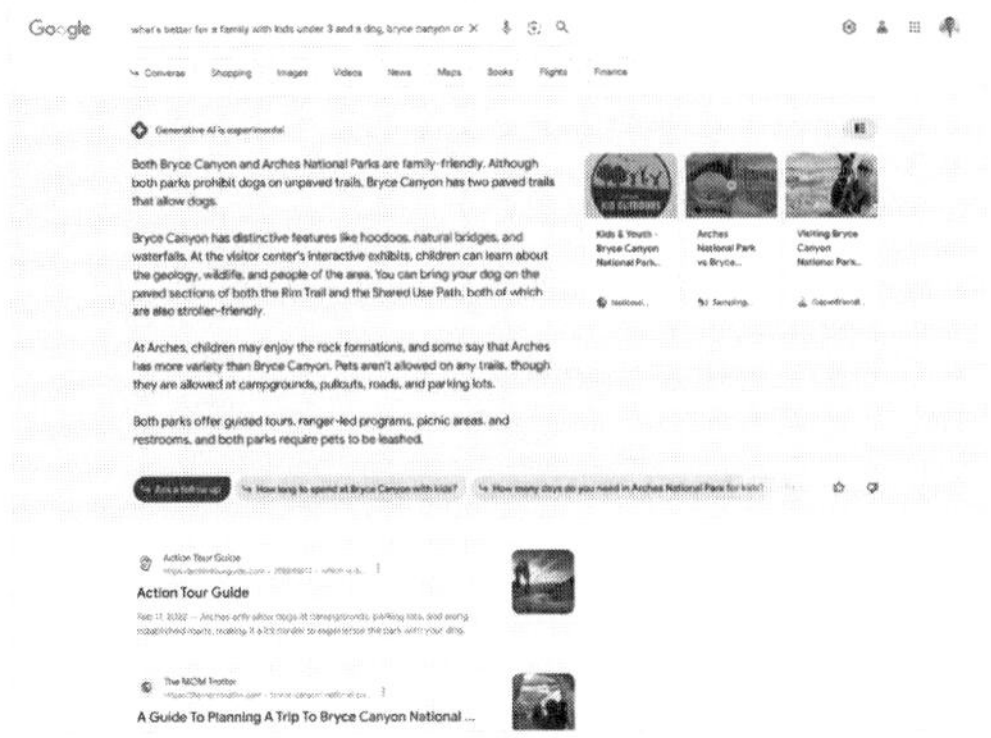

出典：グーグルの公式ブログ「Supercharging Search with generative AI」
https://blog.google/products/search/generative-ai-search/

んでいます。

既に開発済みのベータ（試用）版では、従来のような検索用キーワードではなく、「3歳未満の子供と犬を連れていく旅行には観光地AとBのどちらがいいでしょう？」といった質問用の文章を直接入力できます（図1）。

それに対し対話型AIがまとまった文章の形で何らかの回答を返します。これを読んだユーザーに新たな疑問や確かめたいことなどが思い浮かんだら、回答の真下にあるフォローアップ用のボタンをクリックするとＡＩとのチャット・モードに入ります。ここから、このトピックについてＡＩとの会話を深め、最終的に最も適切な情報を得ることができます。

こうした対話型ＡＩによる回答の右側と真下には、従来の検索エンジンと同様、質問や回答の内容に関連するウェブ・サイト（リンク）が表示されます。これをクリックすれば、それらのサイトに移動して回答の情報源を確認できます。

いずれ実際に製品化、つまり一般ユーザーに公開される際には、この検索結果を表示する画面のどこかに広告も表示されることになるでしょう。また画面の構成など基本的な仕様も、当初とは大分変っている可能性もあります。

グーグルは当面、ウェイティング・リストに登録した米国のユーザーに対し、この対話型検索エンジンを試験的に提供していく計画です。２０２３年末までに利用者数が約３０００万人に到達することを目指しています。

ビジネス・モデルは見えていない

ただ、問題はこうした新型検索エンジンのビジネス・モデル、つまりお金儲けの方法が未《ま》だ見えていないことです。

従来の検索エンジンであれば、検索結果のリンク・リストと並んで表示される「検索連動広告」がグーグルの主な収入源でした。その額は２０２２年に１６２０億ドル（約20兆円）に達しました。

ところが（前述の）ＳＧＥのような対話型ＡＩでは、ユーザーの求める回答が直に表示されてしまうので、それらの広告をクリックする必要性が大幅に低下すると見られています。つまりグーグルは従来のビジネス・モデルを自ら破壊する恐れもあります。

それでも敢えて、今回の動きに出たのは、すでにライバルのマイクロソフトが同社の検索エンジンBingに対話型ＡＩの機能を組み込んだからです。この対話型ＡＩのベースにある技術は今、OpenAIのChatGPTのベースにあるGPT-4を検索・ビジネス用にカスタマイズしたＬＬＭと見られています。

このため放っておけばグーグルは（ChatGPTのように便利な対話型ＡＩを組み込んだ）Bingに検索市場を奪われてしまう恐れが出てきました。これに対抗するため、自らの主力製品である検索エンジンにも自主開発した対話型ＡＩの機能を組み込んできたのです。

将来、対話型ＡＩの導入によって検索連動広告の収入が大幅に減少した場合、グーグルは恐らくクラウド事業の拡充でその埋め合わせを図るのではないかと見られています。

グーグルが対話型検索エンジンのベース技術として採用するのは、自主開発した「ＬａＭＤＡ」や「ＰａＬＭ ２」などのＬＬＭです。これらのＬＬＭは別名「基盤モデル（Foundation Model）」とも呼ばれ、対話型ＡＩをはじめ様々な生成ＡＩの文字通り「基盤」となる技術です。

グーグルは今後、こうした基盤モデルをクラウド・サービスとしてクライアント（顧客企業）に有料で提供していくでしょう。クライアントはこの基盤モデルを自社データでカスタマイズして独自の生成ＡＩを開発し、それを自社の業務で活用したり、あるいは新製品として発売していくことができます。

これらクラウド事業の収益増加によって、グーグルは従来の検索連動広告の収入減少を埋め合わせる算段ではないかと見られています。

マイクロソフトは対話型AIを搭載した新型Bingを一般公開

一方、マイクロソフトはグーグルよりも一足早く、対話型AIを搭載した検索エンジンである新型Bingを一般公開しました。これはテキスト・ベースの会話、いわゆる「チャット」によってウェブ検索を行うサービスです。

公式には本格的な製品というより、ベータ（試用）版としてリリースして一般ユーザーによるテスト利用を促すのが主な目的です。そのフィードバックを今後の開発に活用して、最終製品のリリースに漕ぎ着ける構えです。ただ、実質的には既に誰でも使えるようになっています。

この新型Bingは基本的に画面を二分割して使います。その半面では従来と同様の検索エンジン、もう半面では「ビング・チャット」と呼ばれる対話型AIが使えます。ただし、画面モードを切り替えると、全面が検索エンジンあるいは対話型AIとして使う

図2　新型Bingでは対話型AI（ビング・チャット）に直接質問して答えを得ることができる

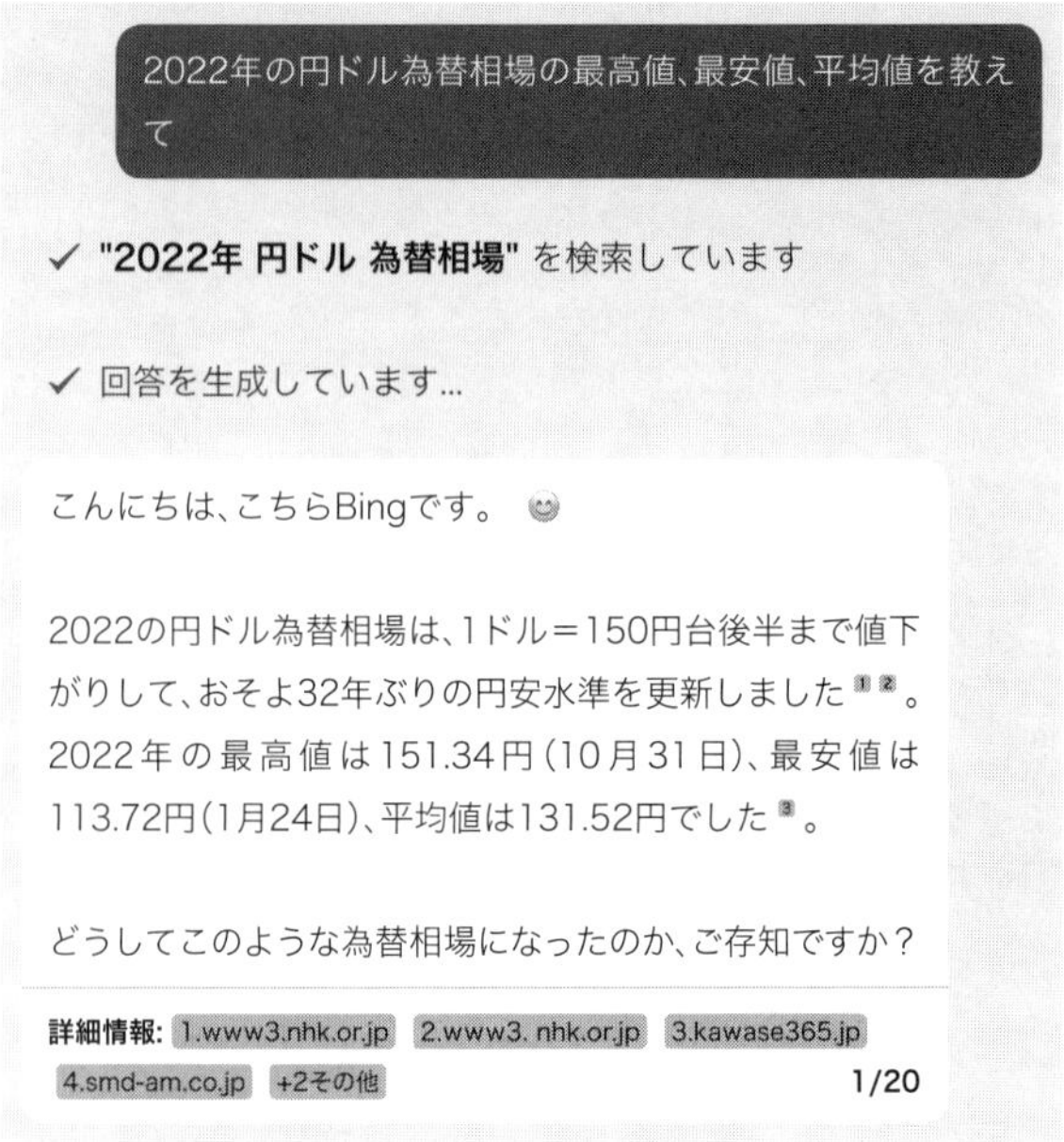
2022年の円ドル為替相場の最高値、最安値、平均値を教えて
✓ "2022年 円ドル 為替相場" を検索しています
✓ 回答を生成しています...
こんにちは、こちらBingです。

2022の円ドル為替相場は、1ドル＝150円台後半まで値下がりして、およそ32年ぶりの円安水準を更新しました[1][2]。2022年の最高値は151.34円（10月31日）、最安値は113.72円（1月24日）、平均値は131.52円でした[3]。

どうしてこのような為替相場になったのか、ご存知ですか？

詳細情報: 1.www3.nhk.or.jp 2.www3. nhk.or.jp 3.kawase365.jp
4.smd-am.co.jp +2その他
1/20

出典：https://www.bing.com/

こともできます。

対話型ＡＩでは、たとえば「２０２２年の円ドル為替相場の最高値、最安値、平均値を教えて」といった形でダイレクトな質問をぶつけると、ずばりとその回答が返ってきます（図２）。

その回答文には、為替レートの引用元のウェブ・サイト（リ

図3 Bingの対話型AIでは、自然な言葉によるリクエストで好きな絵を描くことができる

出典：https://www.bing.com/

ンク・アドレス）が番号で表示されます。また、答えの真下にも、同じリンク・アドレスが詳細情報としてリスト化されて表示されます。これらをクリックすれば、それらのサイトに移動して情報源を確認することができます。

新型Bingの対話型ＡＩは、他にも「画像生成」や「メールの自動作成」、「文書の要約」など多彩な機能を備えています。試しに筆者が「子猫が本を読んでいる絵を描いて」とリクエストすると、それらしい画像が生成されました（図3）。因みに、ここにはOpenAIが開発した画像生成ＡＩ「ＤＡＬＬ-Ｅ」の技術が応用されています。

グーグルと同様にマイクロソフトも、こうした新しい検索エンジンのビジネス・モデルは未だ見出していない模様です。ただ、世界の検索エンジン市場でグーグル検索の占めるシェアが優に90パーセント以上に達しているのに対し、マイクロソフトBingの市場シェアは僅か3パーセント程度（２０２２年の時点）。

つまりマイクロソフトは検索エンジン市場で言わば「失うものがほとんどない」状態なので、「検索エンジンに対話型ＡＩを組み込む」といった大胆な動きに出ることを躊躇しませんでした。そこからどのようにお金を儲けていくかは走り出してから考えればいい、まずはグーグルのシェアを奪うことが先決だ、と考えたのでしょう。

ウェブ上のトラフィックが劇的に変化する

ここまで見てきたように、間もなくグーグルやマイクロソフトBingなどの検索エンジンは従来の姿から対話型ＡＩを中心とする全く新しい姿へと変貌を遂げるでしょう。

この影響を真っ先に受けるのはウェブ上のニュースサイト（ウェブ・メディア）ではないかと見られています。

新聞社や出版社、テレビ局、さらにはＩＴ関連業者などが運営する各種ニュースサイトは従来、グーグルなどの検索エンジンから流入してくるトラフィックに大きく依存してきました。

つまりグーグルの検索結果として画面に表示されるニュースサイトのリンク・アドレスをユーザーがクリックして、それらのサイトに移動することで、そのページ・ビューが増加し、相当の広告収入を稼ぐことができます。

ところが近い将来、グーグルやBing等の検索エンジンが対話型ＡＩに切り替われば、検索エンジンのサイト上でユーザーの求める回答や情報が得られてしまいます。つまり検索エンジンが自己完結的になってしまうので、従来ニュースサイトに流れ込んでいたトラフィックが（完全に消失することはないにしても）激減することが懸念されています。

これは日本や米国をはじめ各国のメディア関係者の間で、今、焦眉《しょうび》の急となっている問題です。グーグルはこうした懸念の火消しに躍起になっているとされますが、具体的な対策は見えてきません。

これに対し、メディア各社はどう対処していくのでしょうか？

それを推し測る際、まず大前提となるのは、ChatGPT、あるいは対話型のグーグル検索やBingなどのベースにあるＬＬＭ（大規模言語モデル）は、ウェブ上で収集した膨大なデータを機械学習することによって開発されたということです。

こうした学習の成果として、ChatGPTや検索エンジンの対話型ＡＩはユーザーと流ちょうに会話したり、ユーザーが求める答えをずばりと返すことができるのです。

これら学習用データには、メディア各社（ニュースサイト）の記事や報道写真など各種コンテンツも大量に含まれている模様です。しかし、その大半はメディア各社に無断で使われている上、その対価も支払われていません。

このためメディア各社は現在、自社のニュースサイトを「ペイ・ウォール（課金システム）」やアクセス制限技術などで囲い込むことにより、その内部にある記事や写真をはじめとするコンテンツをChatGPTなどの対話型ＡＩが利用できないようにする動きを進めています。

それと共に、メディア各社は今後グーグルやマイクロソフト、さらにOpenAIなど対話型ＡＩを開発するＩＴ企業に対して、その機械学習に使われる記事などコンテンツの対価（利用料金）を求めていく。それによって自社のニュースサイトのトラフィック、つまり収入の減少を補っていくと見られています。

ただ、これらのIT企業が新聞社や出版社、テレビ局などの要求に素直に応じるという保証はありません。少なくとも、ニュースサイトへのトラフィックの減少が目に見える形で表れてくるまでは、IT企業側が動くことはないでしょう。2023年から翌24年にかけて、メディア各社とIT企業の間で緊張が高まっていく可能性があります。

さらに、こうした問題はニュースサイトだけでなく、中小のEコマース事業者などについても当てはまりそうです。これらの事業者も同じくグーグル検索から流入してくるトラフィックに多かれ少なかれ依存してきたからです。

これまでは、いわゆるSEO（検索エンジン最適化）などの手法で自らのサイトにトラフィックを呼び込んできましたが、今後、グーグル検索が対話型AIを導入してくれば従来と同様の手法が通用するとは思えません。あらかじめ何らかの対策を講じておく必要がありそうです。

SNSなどのデータが巨額の経済的資源に

一方、世界的なSNSであるツイッター（現在はX。以下同じ）やオンライン・フォーラムのレディットなどのソーシャル・メディアも、OpenAIなど生成AI（LLM）を提供するIT企業との間で確執を生じています。これらのサイトには膨大な数のユーザーが時々刻々とツイートや投稿などを残していきますが、そうしたテキスト・コンテンツは生成AIにとって、またとない学習用データとなるのです。

従来、これらのデータはツイッターやレディットのようなコンテンツ・ホルダーに無断かつ無料でAIの機械学習に使われてきました。しかしChatGPTが世界的なヒットを記録すると、それらのデータが巨額の経済的価値を秘めた貴重な資源、ないしは財産として認識されるようになりました。

これを受け、レディットのスティーブ・ホフマンCEOは2023年4月、今後OpenAIやマイクロソフト、グーグルなどのIT企業がLLMの機械学習にレディットのデータを使用する場合、これらの企業にその使用料を請求する方針であることを明らかにしました。

一方、ツイッターもデータに対する課金を強化して収益化を急いでいます。

2023年7月には、（2022年4月にツイッターを買収して、そのオーナーになっていた）イーロン・マスク氏が自身のツイートで「ツイッター利用者が1日に読めるツイートの数を一時的に（数百～数千に）制限した」と発表しました。

こちらの動きは、OpenAIやグーグルをはじめ生成AIの開発企業が、プログラムを使って自動的にデータを集める「スクレイピング」と呼ばれる手法にストップをかけるのが主な狙いと見られています。

ただ、その影響で米国、欧州、日本などでは一部ユーザーから「ツイッターが使えない」という苦情が聞かれるなど、生成AIの開発競争は思わぬ波紋を広げる結果となりました。

３つの対話型ＡＩを使い比べてみると

さて、グーグルは主力の検索エンジンをＬＬＭによって刷新する前に、それとは別個の「バード（Bard）」と呼ばれるチャットボット（対話型ＡＩ）も開発しました。こちらは既に一般公開されており、公式には「試験運用」の段階ですが実質的には誰でも使える状態になっています（59ページ図４）。

BardはChatGPTとほぼ同様の機能を備えています。ユーザーからの様々な質問に答えたり、外国語の文献を翻訳したり、長い文書を要約したり、論文や小説、詩を書いたりすることができます。

本書執筆中の２０２３年７月時点で日本で使える世界的な対話型ＡＩは、主にChatGPT、Bing、そしてBardの３つです。もちろんChatGPTのＡＰＩを使ったサービスなども含めれば、他にも多数の対話型ＡＩがありますが、主な製品としては、この３つということです。

これらのうちBingとBardはユーザーからの様々な質問に対し、ウェブ上の最新情報を検索して回答することができます。

これに対しChatGPTでは当初、回答として返すことのできる情報は２０２１年9月以前のものに限定されていました。この理由はChatGPT、厳密にはそのベースにあるGPT-3.5やGPT-4などのＬＬＭが機械学習用に消化したデータがその頃までのものに限られているからです。

しかし、２０２３年5月には有料版のChatGPT PlusがマイクロソフトのBingと連携したり、外部サイトを組み込む（Plugins）などすることで、ウェブ上の最新情報を検索（ブラウジング）して回答できるようになりました。またOpenAIによれば、いずれ無料版ChatGPTでもBingの検索機能が使えるようになるので、ChatGPTの回答は「情報の鮮度」という点でBingやBardに引けを取らなくなります。

ただ、その後同年7月に、OpenAIはChatGPT Plus におけるBingの検索機能を（技術的な不具合などを理由に）一時的に停止しました。本書が発売される頃には復旧しているかもしれませんが、本書執筆中の7月時点では検索は使えません。

では他に、これら対話型ＡＩの間で、どのような違いが見られるでしょうか？

実際にChatGPTとBardを使い比べてみた米ウォール・ストリート・ジャーナル紙の記者によれば、様々な質問やリクエストに対しChatGPTはより創造的で面白い答えを返してきたのに対し、Bardは何を聞いても当たり障りのない答えしか返して来なかったそうです。

この主な理由は、Bardが（生成ＡＩの一般的問題として指摘される）誤った情報や「幻覚」などの捏造情報を回答として返さないように、グーグルによって敢えて保守的に作られているからです。

このためウォール・ストリート・ジャーナルの記者は、Bardを「意図的につまらなくしてある」と評価しました。

一方、ChatGPTとBardを自分の秘書代わりに使ってみた米ニューヨーク・タイムズ紙の記者によれば、スケジュール管理や文書処理など様々な面でChatGPTの仕事ぶりの方がBardを上回っていたとのことです。

筆者自身が使ってみた実感としては、ChatGPTの自然言語処理、つまり質問への理解力や会話能力には極めて強い印象を受けました。特にChatGPT Plusから使える

図4　グーグルの対話型AI「Bard」は何を言われても、当たり障りのない答えしか返さない

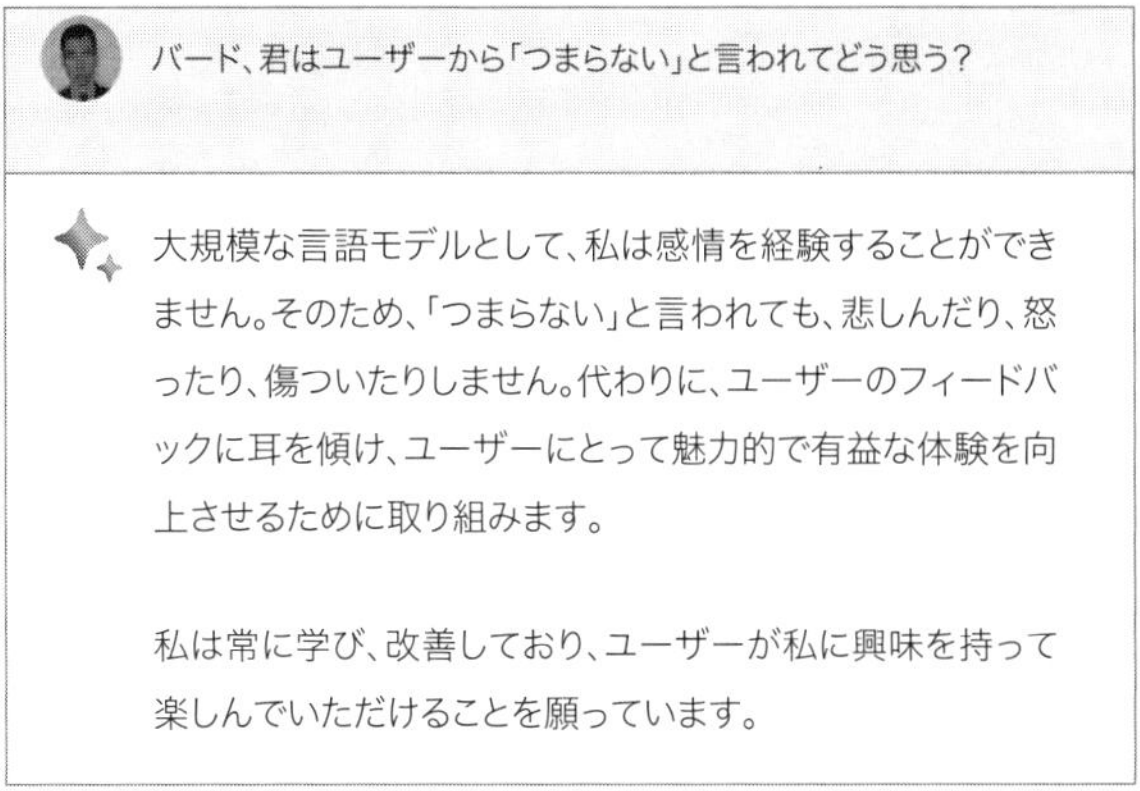
バード、君はユーザーから「つまらない」と言われてどう思う？
大規模な言語モデルとして、私は感情を経験することができません。そのため、「つまらない」と言われても、悲しんだり、怒ったり、傷ついたりしません。代わりに、ユーザーのフィードバックに耳を傾け、ユーザーにとって魅力的で有益な体験を向上させるために取り組みます。
私は常に学び、改善しており、ユーザーが私に興味を持って楽しんでいただけることを願っています。

出典：https://bard.google.com/

GPT-4の言語能力はずば抜けています。第1章の冒頭に示した使用例の中で、筆者が半ば自嘲気味に「(こんなことも知らないようでは）恥ずかしいね」と言ったとき、GPT-4が「全く恥ずかしいことではありませんよ」と返答してきたときには、まるで人間の教師を相手にしているような気分になりました。

対話型Bing（ビング・チャット）のベースにあるLLMは、GPT-4を検索やビジネス向けにカスタマイズしたものです。対話型Bingの方は無料で使うことができますから、敢えて有料のChatGPT Plus（GPT-4）を使う理由はないと思われるかもしれません。

しかし実際に両者を使ってみると、（少なくとも筆者には）ChatGPT Plusの方が対話型Bingよりも言語能力が勝っているように感じました。ベースとなるＬＬＭは基本的に同じでも、商品としての完成度ではChatGPTの方が上回っている印象を受けます。

具体的な事例を見ながら両者を比較してみましょう。

「日本と米国の米栽培の違い」についてChatGPT PlusとBingに聞いてみます。

ChatGPT Plusの場合（1/2）

Model:GPT-4

MA 日本では米農家が田植えをしてるけど、米国では米はどのように育成されてるの？ 日本みたいに丁寧に苗を植えてるの？

米国でも日本でも基本的なコメの栽培方法は似ていますが、一部の手順や特定の環境要件に関しては異なります。

日本では、コメの栽培は主に水田で行われ、種苗を手作業または機械で田んぼに植えます。これは「田植え」と呼ばれ、一つ一つの苗を丁寧に植え付ける作業となります。日本の水田は地形や地理的条件により小規模で、農業機械の導入や使用も限られている場合が多いため、作業が手作業に頼ることが多いです。

一方、米国ではコメの栽培は大規模化が進んでいます。そのため、種蒔きは機械化され、大型の農業機械が種を直接田んぼに蒔く「直播き」が主流となっています。その後、田んぼは水で満たされ、コメが成長するのを助けます。また、米国では種の品質や病気・害虫の管理にも力を入れていて、それらにより収穫量を最大化しています。

どちらの方法もそれぞれの地域の気候、土壌、地理、人々の食習慣、そして労働力と技術の可用性によって最適化されています。しかし、それぞれが異なる方法をとる一方で、目標は同じであり、それは最高品質のコメを可能な限り効率的に生産することです。

ChatGPT Plusの場合(2/2)

MA 直播きだと種が水面に浮くから根付かないとも言われるようですが、米国ではそこはどう対処してるの?

米国での稲の直播きは、主に乾田直播と水田直播の2つの方法があります。

1. 乾田直播: この方法では、稲の種をまず乾燥させた田んぼに播種します。その後、播種した稲が十分に発芽し、根をつけるまで田んぼには水を張りません。稲が一定の大きさに成長したら、田んぼに水を張ります。この方法では稲の種が水面に浮くことはなく、発芽と根付きを確実にすることができます。

2. 水田直播: この方法では、稲の種を水が張られた田んぼに直接播種します。稲の種が水面に浮かないようにするためには、一部の種を重くする処理を施すことがあります。たとえば、稲の種を粘土や化学物質と混ぜることで種を重くし、水面に浮かないようにします。

どちらの方法でも、稲の種がしっかりと根付き、健康な稲が育つことを確実にするための工夫がなされています。このような大規模な稲作は、労働力の節約と収穫量の増加を可能にするための方法であり、米国の稲作の主要な方法となっています。

対話型Bingの場合（1/2）

日本では米農家が田植えをしてるけど、米国では米はどのように育成されてるの？ 日本みたいに丁寧に苗を植えてるの？

✓ **"米国　米の栽培方法"**を検索しています

✓ 回答を生成しています…

こんにちは、これはBingです。😊

米国では、米は日本とは違う方法で栽培されています。日本では苗を植えるのに対して、米国では種を直接まくことが多いです[1]。また、広大な土地に飛行機で種まきや肥料散布をしたり、大型コンバインで収穫したりするなど、機械を活用するのが特徴的です[1,2]。米国の米農家は自然環境にやさしい農法をめざし、最少必要量の農薬使用や水資源や大気汚染への配慮、太陽光発電の利用なども行っています[2]。

詳細情報: 1. ja-kitaechigo.or.jp　2. usarice-jp.com　3. bing.com　4. crosscurrents.hawaii.edu　5. smarta　1/20

対話型Bingの場合（2/2）

直播きだと種が水面に浮くから根付かないとも言われるようですが、米国ではそこはどう対処してるの？

✓ **"米国　種まき 水面"**を検索しています

✓ **"米国　種まき 水田"**を検索しています

✓ 回答を生成しています…

米国では、水田で種まきをする場合は、**農地に水を流し込んでから種を播く**方法をとっています[1]。この方法は、水の深さを均一に保つことで、稲の生育を促進し、雑草の発生を抑える効果があります[1]。しかし、この方法は、**土壌が乾きにくく、種まきまでに多くの作業工程と日数がかかる**という欠点もあります[2]。また、種が水面に浮くことで発芽率が低下する可能性もあります。

詳細情報: 1. usarice-jp.com　2. smartagri-jp.com　3. natgeo.nikkeibp.co.jp　4. news.yahoo.co.jp　5. ampmedia.jp　6. smartagri-jp.com　+4 その他　3/20

ChatGPT Plusと対話型Bingの回答を比較すると明らかな違いが見られます。

まず前者の方が回答が長い。もちろん長ければ良いとは限りませんが、質問の意図を正確に理解して適切かつ丁寧に答えています。

両者の違いが如実に表れているのは二番目の質問に対する回答です。「直播《じかま》きにおいて、種が水面に浮かないようにするために米国ではどう対処しているの？」という質問に対し、ChatGPT Plusは「……一部の種を重くする処理を施すことがあります。たとえば……」と的確にその対処法を説明しています。

これに対し対話型Bingは筆者の聞きたいことに答えていません。そもそも質問の意図や趣旨を理解していないように見えます。

やはり言語能力はChatGPT Plusの方が勝っているようです。

もちろん有料サービスですから当然と言えば当然ですが、その類まれな自然言語処理の能力や博識ぶりを鑑みると「金を払うだけの価値はある」というのが筆者の偽らざる感想です。

誰に頼まれたわけでもないのに、まるでChatGPT Plusの商品広告のような文章になってしまいましたが、正直、そんなつもりも義理もありません。筆者が重視した対話型ＡＩの「言語能力」を気にしないのであれば、無料版のChatGPTと対話型Bing、そしてBardの３つを用途や状況等に応じて使い分けるだけでも、日頃の暮らしや仕事には十分役立つと思われます。

続く第２章では、これらの生成ＡＩが私達のキャリア形成に今後どんな影響を与えていくのかを考えてみたいと思います。

第2章　生成ＡＩは私たち労働者の敵か、味方か

生成ＡＩは私達のキャリア形成に今後どんな影響を与えていくでしょうか？

これについて第1章では「新しく便利なツールが出てきたので仕事に使えそうだよ」という前向きな視点から紹介してきました。

しかし実際は、そんなに単純な話ではありません。むしろ、生成ＡＩが私達人間の仕事を奪うのではないかという懸念も聞かれます。

日本に比べて雇用流動性が大きい米国では既にその兆しが現れています。

米ＩＢＭのアービンド・クリシュナＣＥＯ（最高経営責任者）は２０２３年5月、（生成ＡＩの導入に伴い）人事などのバックオフィス部門における採用が今後停止あるいは減速されるだろう、との見通しを述べました。

こうした普段顧客に接しない事務管理部門の従業員は同社に約2万６０００人いますが、「向こう5年でその30パーセント（７８００人）がＡＩや自動化に取って代わられることが容易に想像できる」と同ＣＥＯは語りました（「ＡＩが5年で代替へ、バックオフィス職の30パーセント――ＩＢＭのＣＥＯ予想」、Brody Ford、Bloomberg、２０２3年5月2日）。

その具体例として言及した人事部門では、定型的な業務が少なからぬ割合を占めています。

たとえば求人情報の作成や公開、健康維持や社員割引など福利厚生プログラムの提供、新入社員向けのオリエンテーションや従業員のスキル向上を目的とする教育・研修プログラムの作成、等々。

ChatGPTのようなテキスト（文章）生成ＡＩは今のところ私達人間を楽しませたり、感動させたりする本物の小説を書くような創造性は持ち合わせていません。他方で、これら定型業務をこなすための事務処理能力は、ある程度まで備えていると見られます。従ってクリシュナＣＥＯの発言は、かなり現実味のある見通しとして産業界で重く受け止められています。

ただ、その発言を注意深く読めば、決して「今すぐ７８００人の従業員を解雇する」などと乱暴なことを言っているわけではありません。むしろバックオフィス部門の従業員がある年齢でリタイヤしたり、自主的に退社したり、他の会社に移ったりして、それらのポスト（職種）が空席になったときには、「敢えて補充しない」と示唆しているのです。

このＩＢＭと同様の動きが、今後は米国の産業各界に広がっていくかもしれません。

一方日本の大手企業などでは米国のようにドラスティック（過激）な解雇を行うことはできませんが、（クリシュナＣＥＯが示唆するような）各種ポストの自然減を補充しないという形の人員削減であればあり得るでしょう。

結果、米国でも日本でも中長期的には、それらの定型業務はＡＩによって代替される、あるいは人間側から見ればそれらのポストは失われることになります。

つまり生成ＡＩの雇用への影響は「産業界を吹き荒れるリストラの嵐」といった劇的な形で現れるのではなく、むしろある程度の時間をかけて粛々と進んでいく冷たく静かなプロセスになると予想されます。ある日、ふと気が付いたら、多くの定型業務は人間ではなくＡＩがやっていた、ということになりそうです。

どんな職種がどの程度まで影響を受けるのか？

それを裏付けるような調査結果も多数報告されています。

米ゴールドマン・サックスは「（ChatGPTなどの）生成ＡＩは世界全体で３億人分の仕事を置き換える可能性がある」とするレポートを発表しました（"The Potentially Large Effects of Artificial Intelligence on Economic Growth（Briggs/Kodnani）", Goldman Sachs Economics Research, 26 March 2023）。

それによれば、米国では現在存在する職業の約３分の２が生成ＡＩの影響を受ける見込みです。ただし影響を受けるとは言っても、それらの仕事が必ずしもＡＩに奪われるというわけではありません。ＡＩに置き換えられる恐れがあるのは、それら（影響を受ける）職業の25～50パーセント程度といいます。

様々なポストの中でも、特に事務・管理支援職の46パーセント、法律事務職の44パーセント、建築設計・エンジニアリング職の37パーセントが生成ＡＩの影響を受けると予想しています。これらは米国の雇用市場に与える影響ですが、欧州でもほぼ同じ調査結果となっています。

また、その裏返しでもありますが、逆に「生成ＡＩの活用によって労働生産性が向上し、世界のＧＤＰ（国内総生産）を約７パーセント引き上げる可能性がある」とするポジティブな予想も示しています。世界のＧＤＰは推計で約85兆ドル（1京２０００兆円）程度と見られますから、その７パーセントは約６兆ドル（８４０兆円）と莫大な金額です。

一方、米国のオンライン就職斡旋《あっせん》業者が実施したアンケート調査では、現在米国で仕事を求めている人の62パーセントが「ChatGPTと生成ＡＩが自分達の仕事を代替する事を懸念している」と回答しました（"The ZipRecruiter Job Seeker Confidence Survey," ZipRecruiter, 2023 Q1）。このような懸念を抱く人の割合は、より若い世代で、なおかつ教育年数が短くなるほど増します。

例えば「ベビー・ブーマー（１９４５〜１９６４年に生まれた人達）」の41パーセントが生成ＡＩに懸念を抱いているのに対し、「ジェネレーションＺ（１９９７年以降に生まれた人達）」ではその割合が76パーセントにまで高まります。

また大学院の学位を持っている人達では生成ＡＩに対する懸念を抱いている割合が全体の52パーセントですが、最終学歴がハイスクール（高等学校）の人達では72パーセントにまで高まります。

米プリンストン大学の研究チームも「生成ＡＩによる職業への影響」を予想しています（"How will Language Modelers like ChatGPT Affect Occupations and Industries?" Ed Felten et al., Princeton University, SSRN, March 6, 2023）。

この調査によれば、生成ＡＩによって最大の影響を受ける職種は「大学の人文科学系の教授」です。人文科学とは、たとえば「文学」「哲学」「歴史学」「人類学」等々の学問分野です。これに続いて、「法律事務職」「保険外交員」「テレマーケター（電話による商品・サービス販売員）」の順となっています。

ただし、ここでも「『影響を受ける』ということが必ずしも『仕事を奪われる』ということを意味するわけではない」としています。

ChatGPTの開発・提供元であるOpenAIは、そのサービスのベースにあるGPT-4など大規模言語モデル（ＬＬＭ）が労働市場に与える影響を分析したレポートを発表しています（"GPTs are GPTs: An Early Look at the Labor Market Impact Potential of Large Language Models," Tyna Eloundou et al, Open AI, March 27, 2023）。

それによれば、米国の労働者の約80パーセントがLLMの導入によって仕事の少なくとも10パーセントに、また約19パーセントの労働者は仕事の約50パーセントに影響を受ける可能性があるといいます。

具体的には、ジャーナリスト、翻訳者、作家、ウェブ・デザイナー、会計士などは影響を受け易く、投資ファンド・マネージャーやグラフィック・デザイナーなどは影響を受け難いとされます。

一方、米マサチューセッツ工科大学（MIT）は、ChatGPTが「マーケティング担当者」「グラント・ライター（米国で政府や地方自治体などに提出する助成金の申請書を書く専門の代行業者）」「コンサルタント」「データ・アナリスト」「人事担当者」「管理職」など一連の職業に与える影響を分析しました（"Experimental Evidence on the Productivity Effects of Generative Artificial Intelligence," Shakked Noy et al, MIT, March 2, 2023）。

実際に、これらの職業に従事している労働者444名を集め、2つのグループに分けて（通常30分で終わるような）短いレポートやプレスリリース（報道機関向けの発表文書）等を書く仕事をやらせました。

その際、片方のグループはChatGPTを利用し、もう片方は自分の力だけで文章を書きます。両者を比較したところ、ChatGPTを使ったグループは使わない方よりも平均37パーセント、実時間にして約10分、作業時間を減らすことができたといいます。

また仕事に対する満足度でも、ChatGPTを利用したグループはそうでない方よりも20パーセント上回りました。

マイクロソフト研究所（Microsoft Research）は、マイクロソフトなどが提供する「GitHub Copilot（ギットハブ・コパイロット）」がソフトウエア開発者（プログラマー）の仕事に与える影響を調査しました（"The Impact of AI on Developer Productivity: Evidence from GitHub Copilot," Sida Peng et al., Microsoft Research, GitHub, Feb. 13, 2023）。

GitHub Copilotは様々な生成ＡＩの中でも「コード生成ＡＩ」の一種です。これは文字通りコード、つまりコンピュータ・プログラムを自動生成する人工知能です。

この調査でも多数のプログラマーを2つのグループに分け、片方はGitHub Copilotを使って課題のプログラムを書き、もう片方は使わずに同じ仕事をしました。両者を比較したところ、GitHub Copilotを使ったグループは使わない方よりも55パーセント短い時間で仕事を終えることができたといいます。

また（MITによる）ChatGPTに関する調査でも（マイクロソフト研究所による）GitHub Copilotに関する調査でも、これら生成ＡＩの恩恵を最も受けたのは、経験に富む労働者ではなく、経験の浅い労働者（概ね若年労働者）でした。つまり本来、長年の経験によって培われるはずのスキルが、生成ＡＩによって代替されたことを示唆しています。

これは労働者側から見て、良いような悪いような複雑な結果です。

と言うのも、社会に出たばかりの若年労働者にとっては、ChatGPTのような生成ＡＩを使えば、いきなりベテラン従業員らと同じように働くことができますから、社内での評価も高まるし、昇給・昇進も早まるかもしれません。

しかし逆にベテラン従業員、特に体力や集中力の衰えを経験で補ってきた中高年の労働者はそのアドバンテージを生成ＡＩに奪われてしまいますから、これまでよりは不利な状況に置かれます。特に合理的で割り切った考え方をする企業であれば、（生成ＡＩのサポートも含め）総合的に同じパフォーマンスが期待できるのであれば、ベテラン従業員よりは給与を低く抑えることのできる若年労働者を選ぶということになるかもしれません。

また、この調査結果は、少し前に紹介したオンライン就職斡旋業者によるアンケート調査とは相反する結果となっています。つまり労働者側では若年層になるほど生成ＡＩに恐怖心を抱いていますが、実際の効果を見る限り、むしろ生成ＡＩは若年労働者の味方になる可能性が高いようです。

その一方で、生成ＡＩの導入によって個々の労働者の生産性が上昇すれば、同じ仕事をこなすために必要な労働者の数は減少するということにもつながります。もちろん、その仕事に対する社会的な需要が今後、どんどん高まっていくのであれば問題ありません。

たとえばソフトウエア開発者、つまりシステムエンジニア（ＳＥ）やプログラマーに対する労働需要は現在非常に高いし、今後も相当の伸びが期待されます。ですから、その業務をサポートするGitHub Copilotのような生成ＡＩがソフト開発の現場に導入されても、それによってＳＥやプログラマーの雇用が失われる危険性は（少なくとも当面は）低い。むしろ個々の労働者の生産性を上げるプラス効果の方が大きいでしょう。

逆に新聞・雑誌記者のような文筆業者の場合、今後、それほど高い労働需要は期待できない。となると、ChatGPTのような生成ＡＩは（どちらかと言えば）味方というよりも敵になってしまうかもしれません。

よりマクロな視点から見ると、「生成ＡＩによって代替された雇用を補う、あるいはそれを上回るほどの雇用を生み出す新たな職種（業界）が生まれるかどうか」が重要なポイントです。

18世紀後半の産業革命以降、蒸気機関や電気技術、半導体技術やロボティクスなど次々と画期的な技術が誕生し、多くの労働者はそれに翻弄されてきました。しかし今から振り返れば、そうした新しい技術は次々と新しい職業も生み出し、総合的に見れば雇用市場は拡大してきました。

問題は「今回の生成ＡＩでも同じ結果になるかどうか？」ということです。

そこで気になるのは生成ＡＩの柔軟性、つまり適応力の高さです。生成ＡＩに多彩なデータを次々に与えて機械学習させるとどんどん新しい能力を育んでいきます。

ですから今の生成ＡＩではできない、あるいは不得意とされていることでも、近い将来にはそれを楽々とやれるようになるかもしれない——これは生成ＡＩと対峙《たいじ》する労働者にとって、あまり好ましい状況とは言えないでしょう。

たとえばコンピュータ・プログラマーへの労働需要は今のところ高いですが、既にプログラミングを行うGitHub Copilotのようなコード生成ＡＩは存在します。今後、その精度がどんどん高まっていけば、プログラマーの必要性が失われていくかもしれません。

これに対応するために、現在のプログラマーが今後はシステム設計のような、より上流工程へと職種転換を図ったと仮定しましょう。しかし生成ＡＩの方でも、間もなくシステム設計ができるようになれば、折角努力して就いた新しい職業も奪われてしまう恐れが出てきます。これでは労働者の方でいくら頑張っても追いつきません。

つまり生成ＡＩは、私達労働者にとって「動く標的」となる可能性が高いのです。静止した標的であれば、落ち着いて狙いを定めれば射落とすことができますが、動く標的は厄介です。その動く方向やスピードを事前に予測することは難しいからです。

画像生成ＡＩがクリエーターの仕事を奪う

ここまで主にChatGPTのようなテキスト、つまり文章やプログラムなどのコンテンツを生成するＡＩの仕事に対する影響を見てきました。それは（前述の）幾つかの調査によって、企業の社員などオフィスワーカーの雇用を侵食してくることが懸念されていますが、未だ目立った形では現れてはいません。

他方で、それとは異なる分野に目を転じると、既に現時点でも、はっきり目に見える形で、労働者の仕事（雇用）がＡＩに奪われるケースも出てきています。それは、いわゆる「画像生成ＡＩ」による影響です。

画像生成ＡＩは、ユーザーの言葉によるリクエスト（プロンプト）に対し、イラストや絵画、写真などの画像を描き出す人工知能（ツール）です。

世界的によく使われている画像生成ＡＩには、（ChatGPTの提供元でもある）米OpenAIの「ＤＡＬＬ-Ｅ２」、英Stability AIの「ステーブル・ディフュージョン（Stable Diffusion）」や「ドリーム・スタジオ（DreamStudio）」、さらに米国の「ミッドジャーニー（Midjourney）」（製品名と提供団体名が同じ）などがあります。いずれも２０２２年の春頃からリリースされましたが、あっという間に世界中に広がりました。日本でも、これらのツールがよく使われています。

それらがどんなものであるかを示すために、実際に画像生成ＡＩを使ってＳＦ風の写真のような精密画を描いてみましょう（次ページ図）。

このケースでは「DreamStudio」という画像生成ＡＩを使っています。

その画面の入力欄に「Futuristic flying car with smooth lines, shot in a low light high contrast studio setting, science fiction, cutting edge, high detail, moody atmosphere（滑らかなラインの未来的な空飛ぶ車、低照度高コントラストのスタジオ環境で撮影、ＳＦ、最先端、高精細、ムーディーな雰囲気）」というプロンプトを入力したところ、画像生成ＡＩが実際にそのような精密画を描き出しています。

図　画像生成AI「DreamStudio」で言葉を使って高精細なＳＦ画像を描き出す様子

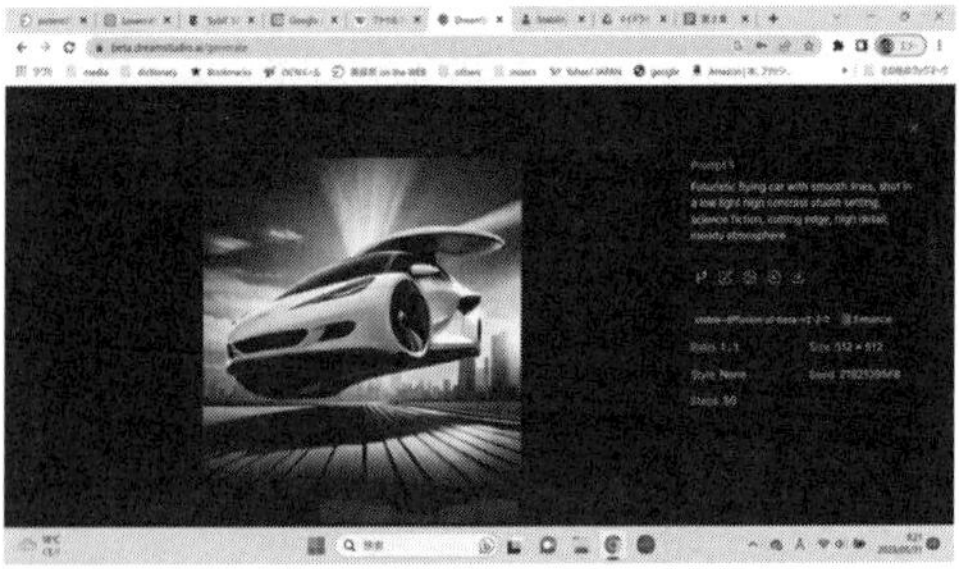

出典：https://beta.dreamstudio.ai/generate

このプロンプトからお分かりのように、画像生成ＡＩには基本的に英語で指示を出します。そこで使われる英単語やそれらの組み合わせ方によってＡＩによる出力画像のクオリティが大きく左右されるので、こうしたプロンプトは「呪文（spell）」などと呼ばれています。つまり魔法使いの呪文のように不思議な効果があるという意味です。

このように一般ユーザーが言葉を使ってＡＩに指示を出すだけで、まるでプロの画家やイラストレーターが描いたかのような精巧で美しい画像を描き出すことができます。

これ自体は素晴らしいことかもしれませんが、一方でプロのアーティストやクリエーターにしてみれば自らの職業が脅かされる恐れが出てきます。

既に中国ではその影響が現れています。

ゲーム業界では、テンセントなどの大手から中小メーカーまで、画像生成ＡＩを使用してキャラクターや背景、さらにはポスターなどの宣伝資料をデザインするようになりました。

このため、従来これらの仕事を請け負ってきたイラストレーターなどに舞い込む仕事が大幅に減少している模様です。

たとえば重慶市にあるデザイン事務所では大手ゲーム・メーカーにイラストを提供してきましたが、キャラクターのデザインを担当する15人のイラストレーターのうち、２０２３年に入って5人が解雇されたといいます（中国のテクノロジー関連メディア「36Ｋｒ」日本版の報道より）。

日本でも不安が高まっています。

様々なクリエーターらが加入する「日本芸能従事者協会」は２０２３年5月にインターネット上でのアンケート調査を実施し、イラストレーターや声優、漫画家など２万５０００名以上が回答した中間結果を公表しました。

それによれば、「（生成）ＡＩによる権利侵害などに不安がある」と回答した人が全体の94パーセント余りに上り、「仕事が減少する心配がある」と回答した人も58パーセント以上に達しました。

既に「画風を盗用された」「公表した漫画が（生成）ＡＩが学習するデータとして勝手に使われていた」「二次利用を禁止して公開した自分の声がＡＩ加工のモデルとして無断で販売された」等の声が寄せられているといいます。

このため回答者の25パーセント以上が「法律による規制」を求めているほか、「著作権者に対する（各種コンテンツ）使用料の支払い」や「ＡＩ生成物の商業利用の停止」などを求める意見も寄せられているとのことです（「〝ＡＩで権利侵害〟クリエーターの９割超が不安　業界団体の調査」、NHK News Web、２０２３年5月15日より）。

こうした画像生成ＡＩの影響は、既にアマゾン（・ドット・コム）などで提供される電子書籍にも現れています。電子書籍リーダー「Kindle」のタレント写真集のランキングでは、２０２３年の夏頃に画像生成ＡＩによって製作されたアダルト系のグラビア写真集が有料１位になりました。

こうしたＡＩ製コンテンツは一種の話題性に乗って注目を浴びたようです。今後コンスタントに売れるようになるかはよく分かりませんが、このまま行けば実在する人間のタレントや写真家らの仕事に対する需要も、ある程度影響を受ける可能性があるでしょう。

ただ一部のＡＩ製写真は実在する女優や声優らの容姿に極めてよく似ていることから、「肖像権の侵害」など法的な問題が指摘されています。

２０２３年5月に集英社・週刊プレイボーイ編集部が出したＡＩ製グラビア写真集「生まれたて。」（税込み価格４９９円）は大手出版社として初めて生成ＡＩを使った写真集として注目を浴びましたが、間もなく販売を終了しました。この理由は恐らく、そうした法的な問題を懸念してのことと見られています。

米国ではアーティストがＡＩを訴える

こうした中、米国では早々と２０２３年1月、イラストレーターや漫画家、（映画の衣装デザインやポスターなどを手がける）コンセプト・アーティストら（いずれも女性）を代表とする集団訴訟が提起されました。

彼女たちに訴えられたのは（前述の）「ステーブル・ディフュージョン」や「ミッドジャーニー」など画像生成ＡＩを提供する企業や研究団体などです。

これらの画像生成ＡＩは、いずれもドイツの研究団体が構築した「ＬＡＩＯＮ-５Ｂ」と呼ばれるデータベースを基に開発されています。このデータベースには主にウェブ上から掻き集められた約58億５０００万枚のカラー画像が蓄えられており、各々の画像にはそこに描かれている内容を説明するキャプション（文章）がペアになってついています。

これら膨大な「画像＋説明文章」のデータをあらかじめ機械学習することによって、ステーブル・ディフュージョン等の画像生成ＡＩは、ユーザーからのリクエスト（プロンプト）に応じて様々なイラストや絵画、写真などを描き出すことができるようになったのです。

これらの学習用データにはプロのイラストレーターや画家、漫画家、デザイナーらの作品も数多く含まれていますが、いずれもこれらアーティストからの使用許可を得ることなく無断で画像生成ＡＩの機械学習に使われています。

今回の訴訟で原告側のアーティストらは、この点を「著作権の侵害」であると非難しています。

また、これらの画像生成ＡＩでは、ユーザーが特定のアーティスト（Ａさん）の名前を指定して、「これこれこういうイラストをＡさんの作風で描いて」とリクエストすることができます。その結果、本当にＡさんが描いたかのようなイラストが画像生成ＡＩから出力されてしまいます。

この結果、これまでＡさんに仕事を依頼していた出版社、ゲーム・メーカー、さらには映画会社などが、これからは画像生成ＡＩを使って本の挿絵、ゲーム・キャラクターのデザイン、あるいはポスターなどを製作するようになります。何故なら人間のイラストレーターに仕事をしてもらうには相応の報酬を支払わねばなりませんが、画像生成ＡＩは無料あるいは極めて安い料金で使うことができます。つまりクリエーターを雇うために必要なお金を節約できるからです。

こうしたことから、前述の中国同様、米国でもイラストレーターをはじめとするクリエーターの仕事が画像生成ＡＩに奪われているといいます。

つまり「自分たちの作品（イラストや漫画、絵画、写真など各種画像）が無断でＡＩの機械学習に使われた上、そのＡＩによって自分たちの仕事が奪われている」というわけです。これを理由に原告側の女性たちは、ステーブル・ディフュージョンなどの画像生成ＡＩを提供する業者や研究団体などを訴えたのです。

しかし彼女たち原告側は、今後始まる裁判で画像生成ＡＩの廃止を求めているわけではありません。原告側が被告側の画像生成ＡＩの業者らに求めているのは次の３点です。

①クレジット（Credit）：画像生成ＡＩが出力するイラストなどの画像には、その機械学習に使われた作品を描いたクリエーターの名前が分かるようにすること

②補償（Compensation）：同じく画像生成ＡＩの機械学習に作品が使われたクリエーターに金銭的な見返りを支払うこと

③合意（Consent）：画像生成ＡＩの機械学習にイラストなどの作品を使う前には、あらかじめそのクリエーターの合意を得ること。またそれらの作品を機械学習に使えるのは「オプトイン」、つまりクリエーター側から「自分の作品をＡＩの機械学習に使っ

てください」と働きかけてきた場合に限ること

これらの頭文字をとって、原告側は今後の裁判で求めることを「3C」と呼んでいます。

一方、被告側となる画像生成AIの業者らは、原告側の訴えに真正面から反論しています。

それによれば、前述の「ステーブル・ディフュージョン」など画像生成AIの機械学習は、人間のアーティストが先人の作品から学んで成長していくプロセスと同じであるといいます。

たとえば画家であれば、モネやゴッホやゴーギャンなど過去の偉大な画家たちの作風を参考にしたり、ときには彼ら先人たちの作品を模写したりしながら、徐々に自分なりの画法やスタイルといったものを養っていくはずです。

画像生成AIも本質的には人間のアーティスト（クリエーター）と同じく、これまでのアート作品から学ぶ（機械学習する）ことによって、AIなりの描画スタイルを確立していく。そのスタイルに従って、様々な画像を描き出しているのであって、決してアーティストの作品をそのままコピーしているわけではない、と言います。

これは米国の著作権法が保証しているアート作品の「公正利用（fair use）」に当たるといいます。つまり著作権の侵害には当たらない、ということです。

ただ、人間ではなくＡＩによる著作権侵害を争点とする裁判は過去に前例がありません。また画像生成ＡＩの技術には、情報科学や物理学の先端理論が応用されており、著作権法など法律の専門家でも理解するのが容易ではありません。

このため同裁判が決着するまでには、少なくとも今後数年かかると見られています。最終的には、既存の法律では対処し切れなくなって、画像生成ＡＩに対応する新たな法律が制定されることになるかもしれません。

米国の一部クリエーターは労組が守ってくれる

今後のクリエーターとＡＩの関係を占う上で見逃せないのがハリウッドの動向です。

ハリウッドつまり米国西海岸ロサンゼルスの映画産業地帯や東海岸ニューヨークを中

心に活動する、映画やテレビ番組の脚本家など約1万人からなる「全米脚本家組合（Writers Guild of America：ＷＧＡ）」は２０２３年４月、映画会社などとの労使交渉で「ＡＩとその類似技術によって製作された（脚本など）映画の素材の利用を制限する」という、過去には見られなかった要求項目を掲げました。

他にも「健康保険や年金制度の改善」「ストリーミング・サービスに関する報酬」などについても協議する労使交渉はまとまらず、翌5月にＷＧＡによるストライキに突入しました。本書執筆中の7月末時点でもストライキは継続しています。

今回、新たにＡＩ関連の要求項目を含めた理由について、ＷＧＡで映画会社との交渉に当たる担当者は「（２０２６年に予定されている）次回の労使交渉で、映画会社から『君たち（人間の脚本家）はもう要らないよ。なぜなら、観衆や視聴者にそこそこ楽しんで貰えるような作品を製作できるＡＩが僕たちにはいるからね』と言われるのを今から予防するためだ」と語っています。

つまり「今のところは大丈夫だが、あと数年後には生成ＡＩによって脚本家らの地位や待遇が脅かされる」という意味です。

それは単に「脚本家（人間）の仕事が生成ＡＩに奪われる」という単純な話に止まりません。

たとえば映画会社が、脚本家には最初のアイディアやプロット（粗筋）だけを書かせて、本物の脚本を書く作業はChatGPTのような生成ＡＩに任せる。

あるいは人が書いた脚本を映画会社の管理職や重役が読んで、その内容を気に入らなかった場合、生成ＡＩにその脚本の改稿、つまり書き直しの作業をさせる等々、いろいろな可能性が考えられます。

いずれにせよ、従来のように「人が丸ごと脚本を書く」ということではなくなるので、映画会社としては脚本家に支払う報酬を削る口実ができます。また脚本を実質的に書いたり、それを書き直したりする作業は（映画会社の）生成ＡＩがやることになりますから、脚本の著作権は映画会社が所有することにもなりかねません。

このため組合（ＷＧＡ）側は労使交渉で「（ChatGPTのような）生成ＡＩが脚本を書いたり、一旦人間（脚本家）が書いた脚本を生成ＡＩで改稿することを禁止する」、また「人間が書いた脚本を生成ＡＩに機械学習させることを禁止する」「人間が生成ＡＩ

を使って脚本を書いた場合、その報酬や著作権は脚本家に帰属すること」等の要求を映画会社に突きつけています。

脚本家と並んで、ハリウッドの俳優たちも生成ＡＩに懸念を募らせています。

たとえばカンフーや空手などのアクションを担当するスタント俳優らは、自らの技能が生成ＡＩに盗まれることを恐れています。つまり俳優のアクションをＡＩが模倣して演じるようになれば、俳優の居場所はなくなってしまいます。

ジェニファー・ローレンスやレオナルド・ディカプリオのような映画スターからテレビ俳優、スタント俳優、声優など様々な実演家ら約16万人が加入する米国の俳優組合「ＳＡＧ-ＡＦＴＲＡ」は２０２３年６月に始まった映画会社との労使交渉で、生成ＡＩについて次のような要求項目を掲げました。

「(映画会社の) ＡＩが俳優に無断で、その姿や声、演技などを模倣して演じることを禁止する」

「ＡＩが俳優のパフォーマンスを模倣して演じる時には、あらかじめ俳優の合意を得る」

「ＡＩで製作された (映画やテレビ番組、ビデオなど) コンテンツについては、俳優に正当な報酬や印税が支払われる」

「ＡＩで製作されたコンテンツに対して、俳優は著作権者としての権利を主張できる」

脚本家組合（ＷＧＡ）と同様、俳優の労組である「ＳＡＧ-ＡＦＴＲＡ」と映画会社との労使交渉も３年に１度だけ行われます。

このため今後３年間に生成ＡＩの技術がどの程度進化し、それがどこまで映画やテレビなどのエンターテイメント産業に浸透してくるかを、ある程度まで予想して織り込んだ上で労使交渉は進みます。ただ、こちらの交渉も妥結には至らず、翌７月に同俳優組合はストライキに突入しました。本書執筆中の２０２３年７月末時点でストは継続中です。

因みに、米国で脚本家組合と俳優組合が同時にストライキを行うのは実に63年ぶりとされます。

日本でも状況はよく似ています。

（前述の）イラストレーターらクリエーターと並んで、声優・俳優ら実演家も加入する日本芸能従事者協会は会員に聞き取り調査を実施しました。

同調査に応じたスタントマンは「『危険だから』とＡＩばかりになれば、技術も継承できず、死活問題になる」と回答。また舞踊家からは「映像上の舞踊を（ＡＩに）コピーされたらどうにでもなるし、振付師の存在価値もなくなる」と不安を口にしました（「俳優ら実演家、強まる懸念『数時間で全てスキャン』―専門家は法整備指摘・生成ＡＩ」、時事ドットコムニュース、２０２３年5月27日）。

これを受け、同協会ではこれら実演家らの権利保護を国に要望しています。また芸能従事者の契約や権利に詳しい弁護士ら専門家も「（生成ＡＩが使われた場合の）対価の支払い義務」など新たな法整備の必要性を指摘しています。

技術だけではなく政治力も影響する

以上のように法制度の問題や労働組合・権利擁護団体の動きなど、いろいろな要素が絡んでくることから、今後生成ＡＩの脅威に晒される職業の行方を一概に予想することはできません。

米国では（前述の）ＷＧＡやＳＡＧ‐ＡＦＴＲＡなど強力な労組が、脚本家や俳優、声優らの権利を死守しようと懸命に活動してくれますから、どれほど生成ＡＩの能力が向上しても、そう簡単にそれらの職種が人間からＡＩの手に渡ることはないでしょう。ところが同じ米国でも、漫画家やイラストレーター、画家などの労働組合は存在しません。となると、これらの職種はＡＩの脅威に直接さらされることになります。前述の訴訟のように、アーティスト自身が法的な対抗措置を取らざるを得なくなるわけです。

翻って日本では、米国よりもアーティストやクリエーターの立場は弱いでしょう。日本芸能従事者協会などの団体は高度に組織化された労働組合というより、一種の権利擁護団体です。確かに政府に働きかけて俳優やクリエーターらの権利保障や労働環境の改善などを訴えてはくれますが、映画会社やテレビ局、あるいはゲームメーカーや出版社等と直接交渉して労働者の雇用を確保することはできません。

ですから、日本のクリエーターや俳優らは、ＡＩの脅威に対してかなり不利な立場に置かれていると見るべきでしょう。

歴史を振り返ると、ＡＩ以前にも各業界の労働者は自動化の波に晒されてきました。

たとえば航空業界を例に挙げれば、１９３０年代までは数名のパイロットに加えてナビゲーターや無線通信士など様々な乗務員がフライトに参加していました。

ところが、その後は航空技術の急速な発達に伴い旅客機の操縦は高度に自動化され、いまではキャプテン（機長）と副操縦士の2名だけです。

ただ、どれほど自動化技術が進化しても機長がたった一人で旅客機を操縦することはありません。もちろん一部の貨物機などでは、パイロット一人で操縦するケースもありますが、それは例外的と言えるでしょう。

万が一に備えてバックアップの操縦士はやはり必要です。旅客機の乗客となる私達一般人にしても、何千キロも旅するような長距離飛行の最中、突如機長が体調不良で倒れたりした時のことを考えれば、パイロットは最低でも二人は必要だと考えるでしょう。たとえ技術的には自動操縦が可能だとしてもです。

医療の分野はどうでしょうか？　近年は「ダヴィンチ」のような手術用ロボットが使われるのも珍しくありませんが、それを操作しているのは医師免許を持った人間です。逆に「完全にＡＩで自動化されたロボットの手術を受けたいか？」と聞かれたら、恐らく大多数の患者さんは「ノー」と答えるでしょう。

現時点では様々な病気の手術を自動で行えるようなAIロボットは存在しません。しかし、逆に今後AI技術の発達に伴い、それが可能になったとしても、やはり「貴方の命をAIドクターに任せられるか？」と聞かれれば、患者さんも、そう簡単にはイエスと言えないような気がします。

もちろん「手術」のような直接的危険を伴うケース以外なら、AIの医療進出は可能でしょう。最も期待が高いのは、従来X線撮影装置やMRI、CTスキャンなどを使って行われてきた画像診断の分野です。

世界的なAIブームが盛り上がった2015～2017年当時は、「今から5年後にはディープラーニングを使った画像診断システムが病院で使われるようになるので、(画像診断を行う) 放射線科医の仕事はなくなるだろう」と言われました。

ところが、それから5年以上が経過した今、実際にはそうなっていません。放射線科医は相変わらず多忙を極めており、病院では人手不足に悩まされています。米国では2015年から2019年にかけて放射線科医の数が減るどころか、逆に7パーセントも増加しました。欧州や日本の状況もほぼ同様と見られています。

裏を返せば、本来、医師に代わって画像診断を行うはずだったＡＩの職場進出が思いのほか進んでいないことを意味します。

日本では大腸がんや肺がん等の分野で画像診断ＡＩの導入が徐々に始まっていますが、本格的に普及しているとは言えない状況です。米国では日本よりも導入が進んでいますが、それでも画像診断ＡＩを利用する放射線科医は全体の約1割程度と見られています。

もちろん1割程度でもかなり高い数字と見ることもできそうですが、人間の医師を代替するような存在とはなっていません。

その主な理由は、Ｘ線写真やＣＴスキャンなどの撮影画像を見て、その病変部などを診断する行為自体は、実は放射線科医の仕事のごく一部に過ぎないからです。実際には患者に撮影画像を見せながら病状を説明したり、いろいろな相談を受けたり、あるいは医療機器や製薬会社のセールス担当者と面会したりと、優に30種類以上の仕事をこなさねばならない、と言われています。これら多彩な作業を全部ＡＩに任せることはできません。

ですから画像診断などのＡＩは医師を代替する存在というより、むしろ新たなツールとしての側面が強いようです。

他方で現在の画像診断ＡＩには、「運用における柔軟性が欠けている」という問題も指摘されています。

ＣＴスキャンや光干渉断層計など各種病気の患部写真を撮影する機材（撮影装置）はどんどんアップデートされていきますが、比較的古い装置で撮影された患部画像などを機械学習したＡＩは逆に新しい装置で撮影された画像を入力されても正しく診断できない、という問題を抱えています。これは画像データのフォーマットが新旧の装置で異なるためです。

人間の医師であれば、どちらの装置で撮影された写真を見ても正しく診断することができますが、画像診断ＡＩはそのような融通が利きません。これが本格的な普及を阻む壁となっているようです。

こうした技術的な側面と共に、ある種の政治的な力も作用しているでしょう。米国や日本の医師会は厳密には労働組合とは異なりますが、医療従事者の権利と利益を代表して、その意見や提案が国の医療政策に大きな影響を与えます。

ですから、たとえ画像診断ＡＩの能力が今後人間の医師に近づく、あるいはそれを凌ぐレベルに達したとしても、そう易々と医師の業務を代替できるとは考え難いのです。

こうした政治力を最も行使できるのは、言うまでもなく国会議員を筆頭とする政治家です。日本では立法や政策形成における官僚の影響力が甚だしいと言われますが、いずれにせよ「利益誘導」や「バラマキ」など選挙対策に走りがちな政治家、あるいは予算と権益、天下り先の確保に余念がない官僚よりも、むしろ（政治・経済から国際情勢まで広範囲で詳細な情報を頭に叩き込んだ）ＡＩの方が余程フェアで合理的な立法・行政を実現して、日本をはじめ各国を正しい方向に導いてくれると（冗談ではなく本気で）思います。

しかし実際はそう単純な話では済まないでしょう。極端な話、そうなる前に議員が議会で「法案を作成するのはＡＩではなく議員（人間）でなければならない。ＡＩはあくまでそのサポート役に徹する」という主旨の法律を成立させてしまえば、それでお終《しま》いだからです。

結局、ＡＩが今後社会にどう組み込まれ、そこでどんな役割を果たしていくかという問題は、技術的な評価や合理的な判断に加えて、そうした政治的な影響力をはじめ複雑で利己的な人間の感情や意見も大きく作用することになるでしょう。

第3章　生成ＡＩを仕事にどう使うか

ChatGPTが世界的に普及する中、日本企業の間でも、この画期的ツールを日々の業務に活用して生産性や効率性を上げようとする動きが進んでいます。ブームが巻き起こった2023年の春ごろから、テレビや新聞、ウェブなど各種メディアは頻繁にそれらの様子を報じてきました。

ただ、実際のところメディアで取り上げられるのは少数派で、むしろ日本企業の多くはChatGPTの職場への導入に慎重な姿勢で臨んでいるようです。

ICT（情報通信技術）分野の市場調査コンサルティングを提供するMM総研（本社：東京都港区）が2023年5月末にウェブ上で実施したアンケート調査によれば、日本および米国の企業・団体に所属する従業員1万3814人のうち、ビジネス（日頃の業務）にChatGPTを利用している人は日本では僅か7パーセント（図1）でした。

一方「（ChatGPTを）知らない」と回答した人は全体の46パーセント、知っていても「利用していない」との回答は同42パーセントに上ります。

これに対し米国ではChatGPTをビジネスに利用している人の割合が全体の51パーセントに達する一方、「知らない」は同9パーセント、「利用していない」は同23パーセン

図1　日米におけるChatGPTの利用率比較

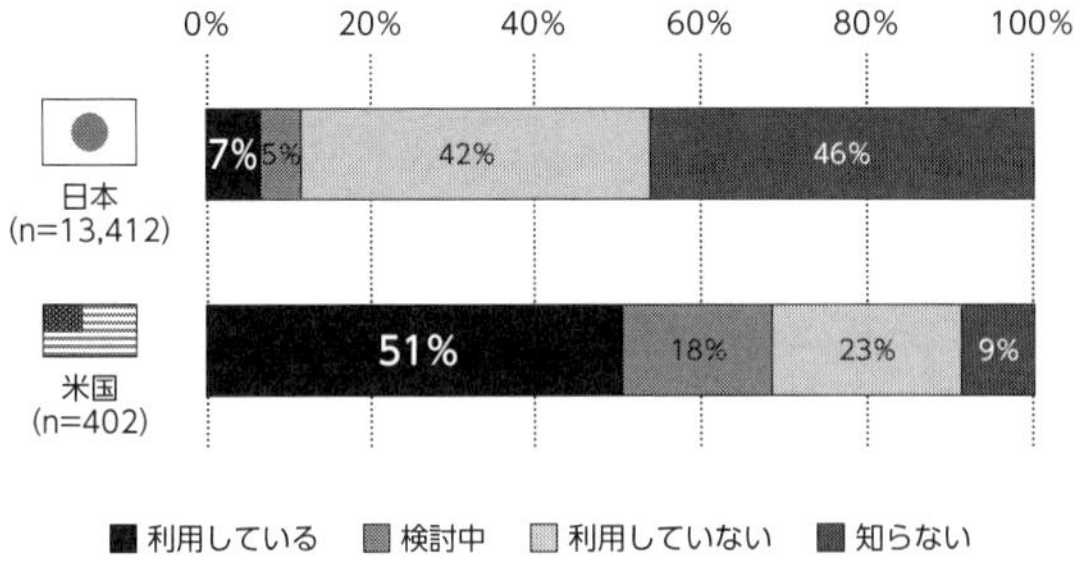

©2023 MM Research Institute,Ltd.

出典:「日米企業におけるChatGPT利用動向調査」、株式会社MM総研、2023年6月12日
https://www.m2ri.jp/release/detail.html?id=580

トです。

米国の回答者数は402人と日本よりも大幅に少ないですが、恐らく傾向を知る上では十分な数の母集団と見られます。

日米で大きな開きが生じた理由として、MM総研は「経営層の関心度合い」を指摘しています。

図には示されていませんが、米国では経営層の6割以上がChatGPTに強い関心を抱いているのに対し、日本は米国の半分以下（3割台）。結果的にChatGPTの有料アカウントなど社内の利用環境において日米で大きな開きが生じたことが、業務における利用率の違いとなって現れ

ているようです。

一方、会社としてChatGPTの利用に関して何らかの規制を設けている割合は両国とも3割程度と違いはありません。

相対的に慎重な日本企業の中でも、ChatGPTの活用に割と積極的なのは従業員の多い大手企業です（図2）。また一般社員よりも、経営層や管理職の方がChatGPTを利用していることも分かりました。

業種的にはエネルギー・水などインフラ系、大学など学術研究、あるいは情報通信などの業界（領域）でChatGPTはよく使われていますが、逆に地方自治体など行政、卸・小売、不動産などでの利用率は低くなっています。

部門別に見ると、人事部門がChatGPTの活用に積極的であることが分かります。

図2　日本における属性ごとの利用率比較
（最低利用率の平均値7%）

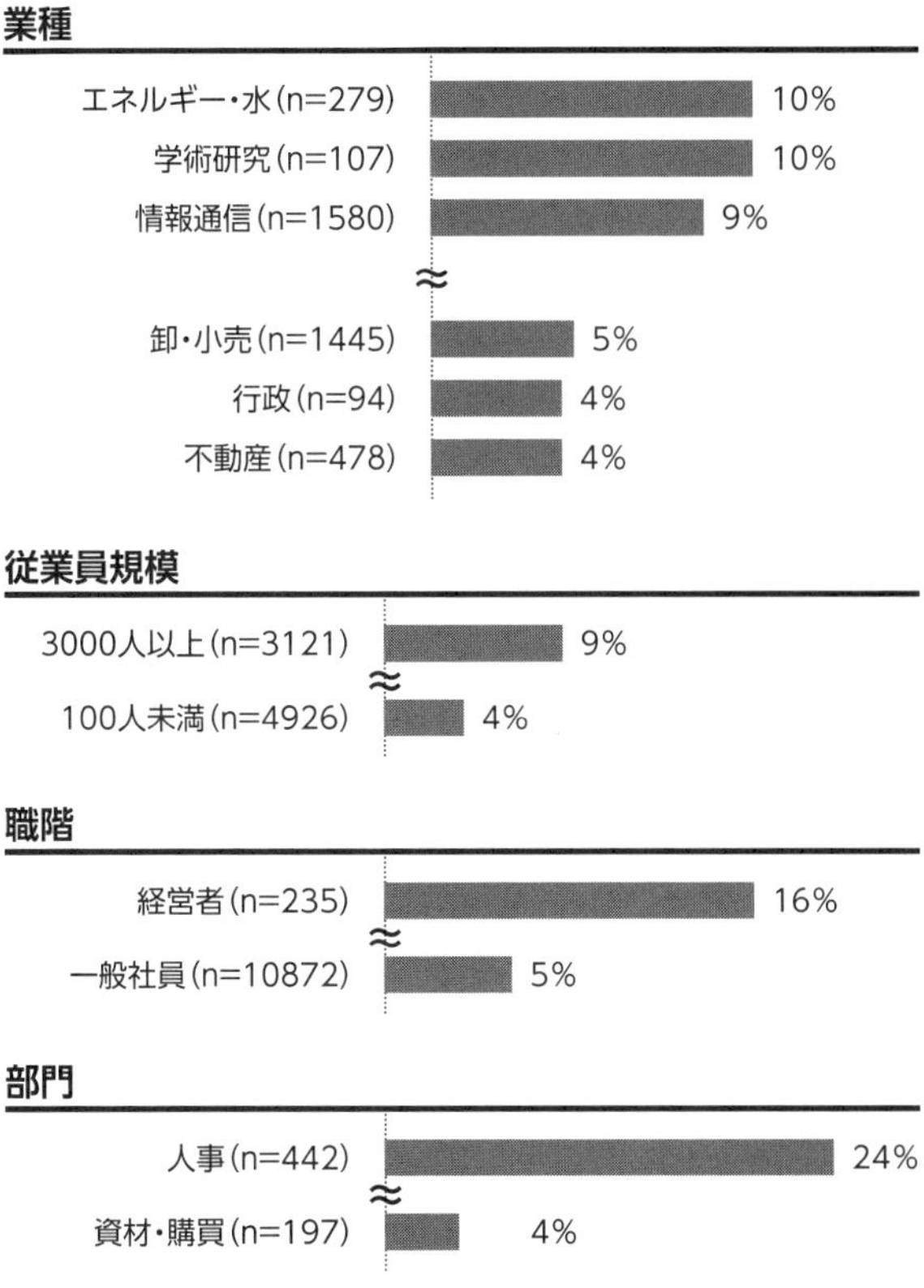

※各属性ごと最も利用率の高いセグメントと最も低いセグメントを表示

出典：「日米企業におけるChatGPT利用動向調査」、株式会社MM総研、2023年6月12日
https://www.m2ri.jp/release/detail.html?id=580

ChatGPTの利用者に具体的な用途を尋ねると、日米とも上位から「文章生成」、「文章要約」、「文章校正・構造化」、「情報検索」の順となりました（図3）。

具体的には「メールなどの定型文を作成する」「議事メモを要約する」「膨大な情報があるときの整理」等を指しており、どんな業種や部門でも必要とされる業務にChatGPTが活用されていることが分かります。

一方、日米で大きな違いが出たのは「アイディア生成」や「コーディング（コンピュータ・プログラミング）」など。米国ではこれらの用途にChatGPTがよく使われているのに対し、日本ではあまり使われていません。

図には出てきませんが、ChatGPTを利用する主な目的は日米とも「既存業務の効率化」であり、「新規事業での活用」や「教育・研修の高度化」などが次なる目標として位置付けられています。

ChatGPTが生成した内容について満足度を尋ねると、日米とも用途ごとに若干の違いはあるものの、10段階評価で概ね6～7点と評価しています。また、9割以上の利用者が「今後も利用継続したい」と回答するなど、かなり満足していることが窺《うかが》えます。

図3　ChatGPTの利用用途

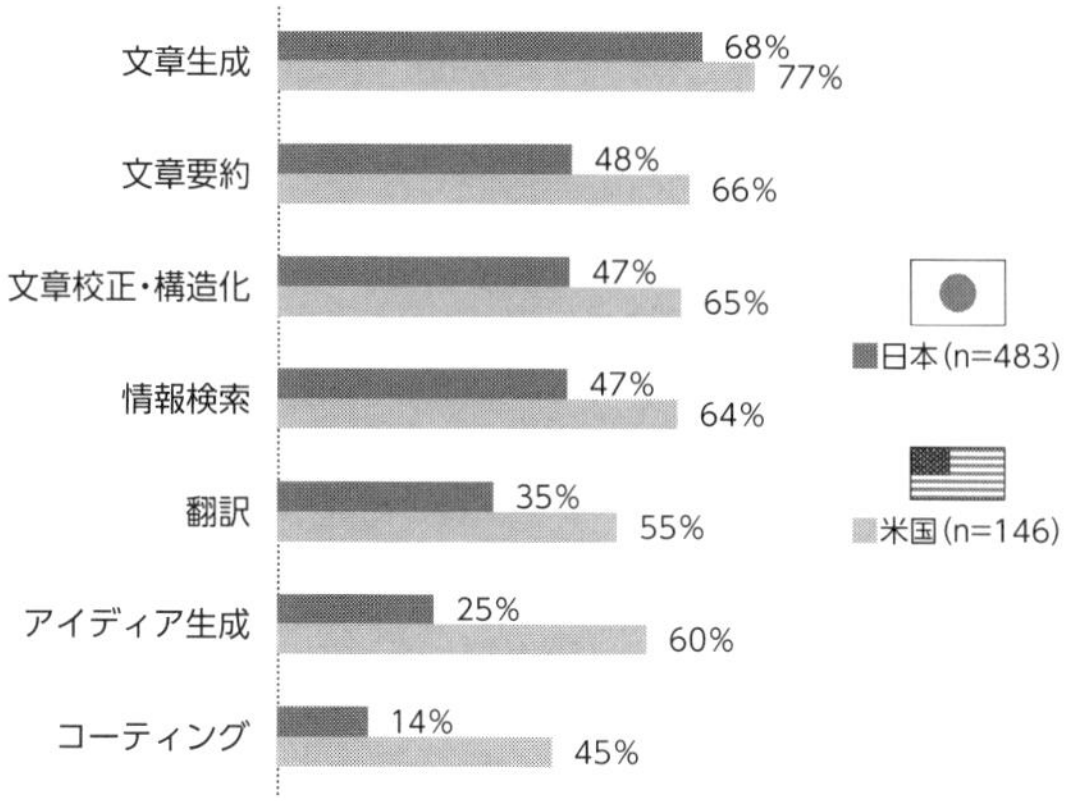

※ChatGPT利用者を対象に集計

©2023 MM Research Institute,Ltd.

出典：「日米企業におけるChatGPT利用動向調査」、株式会社MM総研、2023年6月12日
https://www.m2ri.jp/release/detail.html?id=580

今後ChatGPTの利用を維持・拡大するための課題は、日米とも「回答の精度」が5割弱を占めています（次ページ図4）。

また「著作権などの権利関係」にも大きな関心が集まっています。

ChatGPTをはじめ生成AIは、ウェブ上の膨大なデータを機械学習することによって開発されました。これらのデータは著作権者に無断で使われているケースが多いため、

図4　ChatGPTを利用維持・拡大していく上での主な課題

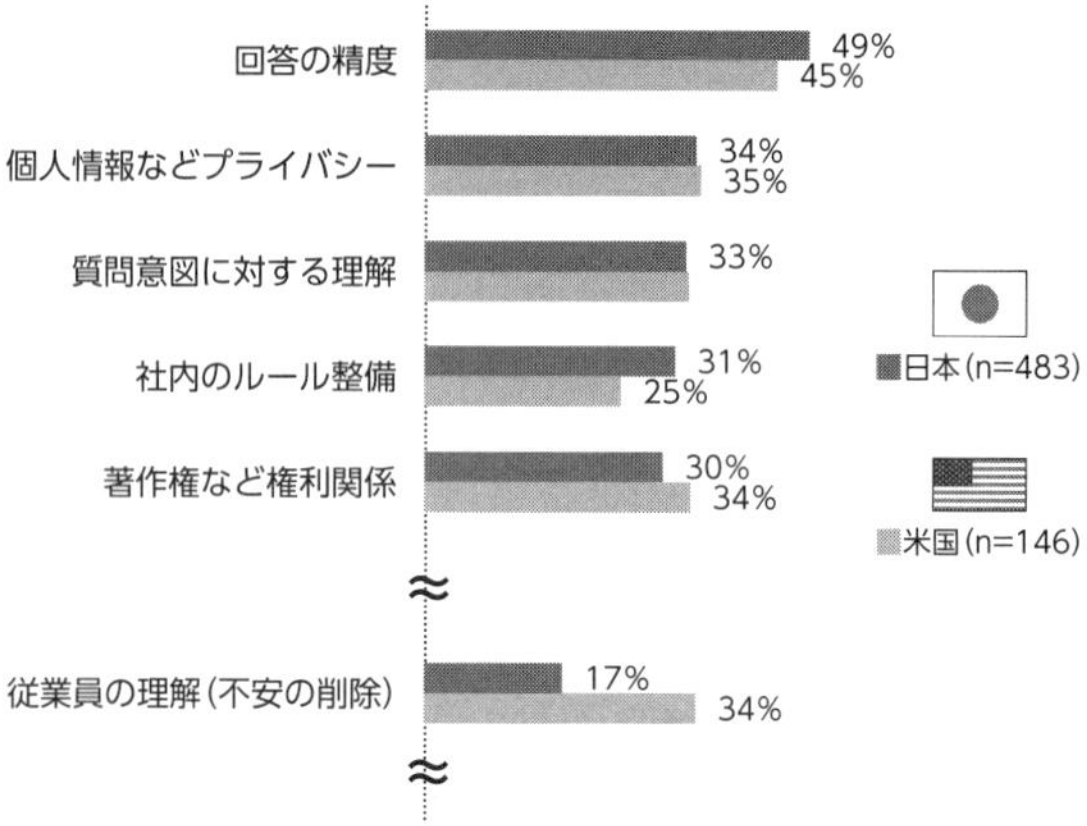

※ChatGPT利用者を対象に集計

©2023 MM Research Institute,Ltd.

出典：「日米企業におけるChatGPT利用動向調査」、株式会社MM総研、2023年6月12日
https://www.m2ri.jp/release/detail.html?id=580

既にOpenAIなどＩＴ企業と新聞社などコンテンツ・ホルダー間で摩擦が生じ始めています。

（第１章・第２章で紹介したように）２０２３年１月には、米国でイラストレーターやマンガ家らがミッドジャーニー等の画像生成ＡＩを提供する業者らを相手取って集団訴訟を起こしました。また同年６月には、同じく米国でChatGPTを提供するOpenAIに対し、一般消費者から集団

訴訟が起こされました。いずれも著作権侵害を起訴理由としています。

今後はこれら裁判の行方などが生成ＡＩの普及に大きな影響を与えそうです。

ビジネスパーソンは生成ＡＩとどう向き合うべきか

ここまで見てきたように、ChatGPTの職場への導入については日米の間で大きな開きが生じています。ただ、「日本が米国に遅れをとっているのは問題だ」と決めつけるのは早計かもしれません。

（前の章でも紹介したように）ChatGPTのような生成ＡＩはときに誤った情報や「幻覚」と呼ばれる「でっち上げ」等の回答を返してきます。また、それらの回答（テキストや画像などのコンテンツ）が第三者の著作権を侵害している可能性もあります。

これらを考慮するなら、ChatGPTの導入に日本企業の多くが若干及び腰になるのも、ある程度理解できます。

また、一旦導入した後も、その活用に際しては慎重かつ思慮深い姿勢が求められます。

かつてグーグルで「ＬａＭＤＡ」など大規模言語モデルの評価作業を担当していたＡＩ研究者のマーガレット・ミッチェル氏は次のように語っています。

「生成ＡＩは貴方（ビジネスパーソン）が知らないことを知るためのツールではありません。むしろ貴方が既にできることを、さらによくできるようにするためのツールなのです」

これはどういう意味でしょうか？

ビジネスパーソンが自分の専門分野で生成ＡＩを使う場合には、これまで培った「専門知識」や「勘」といったものが助けてくれますから、ChatGPTなど生成ＡＩがときに返してくる誤った情報などに騙される可能性は小さくなります。

逆に、自分の専門以外の言わば「畑違いの分野」ではよく知らないことが多いので、ChatGPTの嘘にコロッと騙される危険性が高まります。ミッチェル氏が指摘しているのは、まさにその点なのです。

実務歴30年のベテラン弁護士がChatGPTに騙される

ただ、自分の専門あるいは得意とする分野で使うからといって油断すると酷い目に遭います。

米国では２０２３年５月、実務歴が30年にも及ぶベテラン弁護士がChatGPTを使って民事裁判の資料を作成したところ、そこに記載されていた数々の判例がいずれも虚偽であることが分かって大問題となりました（"Here,s What Happens When Your Lawyer Uses ChatGPT," Benjamin Weiser, The New York Times, May 27, 2023、"The ChatGPT Lawyer Explains Himself," Benjamin Weiser and Nate Schweber, The New York Times, June 8, 2023）。

事の発端は２０１９年８月、ロベルト・マタという男性がエルサルバドルからニューヨークに向かう航空機内で配膳カートがひざに当たって怪我をしたことです。マタ氏はその時点では何の法的アクションも起こしませんでした。しかし最近になって、その怪我を理由に同航空機を運用していた南米コロンビアのアビアンカ航空を訴えました。

これに対しアビアンカ航空の弁護団は「既に、その件は時効だ」との理由でマンハッタン連邦地裁に同訴訟の棄却を求めました。しかし原告（マタ氏）側のスティーブン・シュワルツ弁護士は「時効は成立せず、この裁判は実施されるべきだ」と反論しました。シュワルツ弁護士は、過去に航空会社が被告となった幾つかの訴訟で、実際に時効が成立しないで裁判が実施されたと主張し、それらの判例が記載された10ページの資料を提出しました。そこには「マルチネス対デルタ航空」「ジッカーマン対大韓航空」「ヴァーギーズ対中国南方航空」など、いかにもそれらしい呼称の判例が列挙されていました。

ところがアビアンカ航空の弁護団も判事も、その資料に記された6件の「判例」をデータベースなどから確認することができませんでした。

そこで判事は（資料に記載されたものではなく）本物の判例のコピーを提出するようシュワルツ弁護士に命じました。

これに対して同弁護士は6件の判例全てがChatGPTによって作成されたことを明らかにし、それらが実際には存在しない架空の判例であることを認めました。

ここから大騒ぎとなりました。

シュワルツ弁護士は宣誓供述書の中で「自分は意図的に法廷や航空会社を騙すつもりはなかった。あくまでリサーチのためにChatGPTを使い、結果的にそれに騙された」とする旨を述べました。

２０２３年6月8日に、このベテラン弁護士の懲戒処分を決めるための審理が連邦地裁で開かれました。法廷の傍聴席には、報道関係者や弁護士、法律事務官、さらに大学教授や法律専攻の大学生など70名近くが着席して審理を見守りました。

その人たちの目の前で、判事はシュワルツ弁護士に「なぜ（ChatGPTの）回答の真偽を確認する作業を怠ったのか？」と問い詰めました。

これに対し同弁護士は「ChatGPTが判例をでっち上げるとは思わなかった」と答えました。

彼は大学に通っている自分の子供たちからChatGPTの話を聞いて、その存在を知りました。その話から「（ChatGPTとは）スーパー検索エンジンのようなものだ」と思ったそうです。

実際に同弁護士がChatGPTを使って判例の資料を作成した際には、それが返す答えは自信に満ち溢れているように見えました。

それでも彼は念のためChatGPTに「これらの判例は事実だろうね？」と問い質したところ、ChatGPTは「全て事実です」と答えました。そもそも嘘をつくかもしれないＡＩに真偽を確かめること自体が大きな間違いですが、今更それを言ったところで後の祭りです。

その審理から約２週間後、連邦地裁の判事はシュワルツ弁護士、また形式的ながらも彼と連名で偽資料を法廷に提出したもう一人の弁護士、そして彼らが所属する法律事務所に対し、（三者まとめて）５０００ドル（70万円以上）の罰金を科しました。弁護士資格の取り消しや停止といった最悪の事態は免れたわけです。

また彼らが弁護を担当した、（前述の）膝を怪我した男性マタ氏によるアビアンカ航空への訴訟は棄却されました。

判事は懲戒処分の理由として「（今回の一件は）米国の法律職と司法システムに対する不信感を招いた」と指摘したうえで、「信頼できる人工知能を（訴訟関連のリサーチなどに）利用することは本質的に不適切というわけではないが、既存の法律は提出文書の正確性を確かめる門番としての役割を弁護士に課している」と述べました。

要するに「弁護士が（ChatGPTのような）ＡＩを使うのは構わないが、それが返す答えの中身くらいは自分で確かめろよ」と言っているわけです。

ただ、これが米国の法曹界の一致した見解というわけではありません。

ほぼ同時期に、テキサス州の連邦地裁判事は自らが担当する訴訟において、弁護士がＡＩを使って文書を作成することを禁止しました。

一方、法科大学院の教授ら専門家の中には「（シュワルツ弁護士の一件で）ChatGPTの危険性が知れ渡ったので、今後は一種の抑止効果が期待できるのではないか」と前向きに受け止める人もいます（が筆者には皮肉にも聞こえます）。

プロンプト・エンジニアリングとは何か？

日本ではこうした失敗事例なども参考に生成ＡＩへのスタンスを検討しながら、徐々にビジネスに導入していく方が賢明かもしれません。

ＰｗＣコンサルティング合同会社（本社：東京都千代田区）が２０２３年春、日本国内の企業・組織に所属する従業員を対象に実施したアンケート調査（有効回答数：１０８１件）によれば、ChatGPTのような生成ＡＩを知らないとした回答が全体の54パーセントに達する中、逆に認知層の60パーセントが生成ＡＩに「関心がある」と回答しました。

また同じく認知層の47パーセントが、生成ＡＩの自社への影響について「チャンス」と捉えていることも分かりました。逆に「脅威」と捉えている人は9パーセントに止まり、「チャンス」が「脅威」の約5倍に達しました。

以上の結果から見て、米国よりも遅れてはいますが生成ＡＩが日本の職場に本格的に導入され、活用されるようになっていくのは時間の問題と見られます。

その際、使い方次第で両刃の剣となる、この強力なツールをどう使いこなしていけばいいのでしょうか？

ChatGPTが世間で騒がれ、特にビジネス活用への期待が高まってくると「プロンプト・エンジニアリング」というテクニックが注目を集めるようになりました。

プロンプトとはChatGPTなど生成ＡＩに対して、私達ユーザーが発する質問やリクエストのことです。このプロンプトの出し方、つまりその内容や表現によって生成ＡＩが返してくる回答のクオリティが大幅に違ってくると言われています。

たとえばプロンプトの末尾に「一歩ずつ考えよう（Let's think step by step）」と付け加える。あるいは生成ＡＩに具体的な役割を与える、つまり「貴方は○○分野の専門家です。その立場から××について素人にも分かるように説明してください」などの工夫によって、その回答が見違える程良くなるとされます。

またプロンプトは、より具体的な方が効果的とも言われます。

たとえば単に「ＡＲＲとは何ですか」と聞くよりも、「金融分野におけるＡＲＲ（Annual Recurring Revenue）とは何ですか。また、その具体例を３つ挙げてください」というプロンプトの方が良い答えが得られるということです（因みにＡＲＲとは日本語で「年間経常収益」を意味し、具体的にはサブスクリプションなど毎年決まって得られる収益を指しています）。

これらのテクニックが一般にプロンプト・エンジニアリングと呼ばれるものです。それらはユーチューブなどソーシャル・メディア上で無料でシェアされることもあれば、逆に一種の有料コンテンツとして販売されるケースもあります。

米国の求職・求人SNS「LinkedIn」では最近、(日本の履歴書に該当する)レジュメやカバーレターなどの技能欄に「プロンプト・エンジニアリング」と書き込まれるケースが急増しています。実際、それによって企業から求職者へのレスポンス回数も増えていると見られています。

極端な例としては、グーグルが出資するスタートアップ企業の求人広告で「サンフランシスコ在住のプロンプトエンジニア兼司書」に33万5000ドル(約4500万円)の年俸が提示されたといいます(「プロンプトエンジニアの需要急増、年俸4500万円の求人も─ChatGPTブームで」、Conrad Quilty-Harper、Bloomberg、2023年3月31日)。このプロンプト・エンジニアリングについては、本章の最後で改めて触れてみたいと思います。

気の重いメールの返信を肩代わりさせる

ここからは実際にChatGPTを使って基本的な作業を幾つかこなしてみましょう。それによって、ChatGPTのような生成ＡＩが日頃の業務で持つ意味が分かるはずです。

まず最初は、先日の同窓会で久しぶりに再会した同級生から届いた営業メールへの対応です。旧友に対して断りの返事を書くのは気の重い作業ですが、こうした嫌な作業こそＡＩに肩代わりしてもらいたいものです。

さてChatGPTは上手く、この仕事ができるでしょうか？

Model:GPT-4

MA 高校時代の同級生から次のような営業メールが届きました。相手の気持ちを害することなく、断りの返事を書きたいのですが、適当な文案が思い浮かびません。僕の代わりに君がうまく返事を書いてくれないかな？

小林さま

〇〇高校で同級生だった田中一郎です。突然のご連絡となり、失礼します。　先日は、久しぶりに同窓会でお会いし、楽しいひと時を過ごさせていただき、ありがとうございました。

ところで、会の折に小林君から貰った名刺を拝見し、貴社の事業において弊社のサービスがお役に立てるのではないかと思い、ご連絡を差し上げた次第です。

弊社は、業務プロセスの効率化を中心としたクラウド型のメール配信サービスを提供しております。これまで、IT業界のお客様を中心に78件の導入実績がございます。弊社のサービスをご活用いただくことで、貴社ビジネスの成長促進をさらに高めていければと考えております。

つきましては、是非、直接ご説明させていただきたいのですが、30分ほどお時間をいただけないでしょうか。小林君のご都合に合わせてお伺いしますので、ご返事をいただければ幸いです。ご多忙の中大変恐縮ではございますが、ご検討の程、よろしくお願いいたします。

田中

田中一郎さま

先日は同窓会でお会いできて大変嬉しかったです。久しぶりにみなさんと再会し、学生時代を思い出す時間を共有できたことは本当に心から楽しかったです。田中さんも変わらず元気そうで何よりでした。

ご提案いただきましたサービスについては、その有用性と品質を疑う余地はありません。特に田中さんが強く推薦するとなると、その価値はさらに確信が持てます。しかしながら、私の現職においては既に類似のシステムを導入しており、それが我々の業務に合って機能しています。そのため、現状では新たなシステムに乗り換えることは困難で、これ以上の機能追加も予定しておりません。

また、申し訳ありませんが、現在は新プロジェクトの立ち上げでとても忙しく、新たなミーティングを設ける余裕がありません。当面の予定はかなり詰まっており、田中さんとお話しする時間を確保することができないというのが現状です。

しかしながら、田中さんとの関係は、学生時代からのもので大切にしていますし、今後もそのつながりを大切にしたいと思っています。この点については、ビジネスとは別の視点で、私たちの友情を第一に考えたいと思っています。

また、次回の同窓会などでの再会を心待ちにしています。その際には、再び楽しい話で盛り上がれることを願っています。

この度はご提案いただき、誠にありがとうございました。田中さんのビジネスがますます発展することを心から願っています。どうかお元気でお過ごしください。

小林

率直に言って、ChatGPTが書いてくれた返信は「まあまあの出来」ではないでしょうか。丁寧な文面ですし、分量もこの程度が適切であると思われます。

もちろん完璧とは言えません。冒頭の段落の「本当に心から楽しかったです」という表現はちょっと不自然で大げさですし、次の段落の「その有用性と品質を疑う余地はありません」という評価は、田中さんからの営業メールにちょっと目を通した程度では本来下せないはずです。

さらに末尾の「どうかお元気でお過ごしください」は、再会を期待するどころか、むしろ「今後二度と会いたくない」とでも言っているかのような印象を相手に与えてしまうかもしれません。

しかし逆に見れば、それら数か所に筆者（ユーザー）が少しだけ手を入れれば実際の返信メールとして使えそうです。

ChatGPTに入力するプロンプトを書いて、田中さんからの営業メールをコピペする作業に筆者が費やした時間は1分もかかりませんでした。あれこれ悩みながら長い時間をかけて断りのメールを書くよりは余程効率的です。

またマイクロソフトやグーグルなどが今後、「Outlook」や「Gmail」などのメール・ソフトに対話型ＡＩの機能を組み込んできます。これらが実用化されれば、今回のChatGPTの場合のように相手からのメールをコピペする必要すらなくなります。

つまりメール・ソフトの対話型ＡＩに対して、「相手の気持ちを損ねることなく、断りの返事を書いてくれ」とリクエストすれば、恐らく適切な文面をＡＩが考えて返事をしてくれるようになるでしょう。

この種の状況は他に幾らでも考えられそうですが、対話型ＡＩあるいは生成ＡＩはこのように「(人間が)やりたくない作業を肩代わりする」という用途に対して非常に効果的と言えそうです。

ぱっとしない日報を前向きに修正させる

業務終了後に日報を書くのは、成果が出なかった日には面倒で気が重い作業です。そして恐らく多くのビジネスパーソンの場合、そんなにしょっちゅう目立った成果が出るわけではないでしょう。

しかし、だからといって日報を書くのに手を抜いたり、やる気のないところを上司に見せれば、徐々に評価は下がっていくし、自分自身の気持ちも萎えていくでしょう。日報のように日常的ながらも手を抜くことのできない作業にChatGPTがどう使えるか？

ここでは中古車ディーラーの営業担当者を想定して、それを見てみましょう。

Model:GPT-4

MA

私は中古車ディーラーで働く37歳の営業職です。今日の成約はゼロでした。日報を書いたのですが、上司から叱られそうです。たとえ現在の成績は悪くても、将来性を感じさせるような内容に書き換えてください。

以下:
【日付】: 2023年6月18日
【営業活動概要】: 今日は主に以下の3つの活動を行いました。
既存の顧客に対するフォローアップ:3人
新規の顧客に対するアプローチ:5人
展示車のメンテナンスと情報更新
【具体的な活動内容と結果】:
既存の顧客フォローアップ:
顧客Aとはメールで連絡を取り、車の状況を確認。特に問題は報告されていません。
顧客Bからは返信なし。明日再度連絡を取る予定です。
顧客Cには電話をしましたが、話ができませんでした。明日リトライ予定。
【新規顧客へのアプローチ】:
ポテンシャルのある5人の顧客に電話。そのうち2人が興味を持ってくれましたが、具体的なアポイントメントは未定。
具体的な車種や価格帯についての要望を聞き、それに見合った車のリストを作成し、明日には送信予定です。
【展示車のメンテナンスと情報更新】:
展示車2台の清掃と点検を行いました。特に大きな問題は見つかりませんでした。
各車の情報を更新し、ウェブサイトにアップロードしました。

Model:GPT-4

【日付】: 2023年6月18日

【営業活動概要】: 本日は以下の重要な3つの活動を実施し、業務の基盤を強化しました。

1. 既存顧客との継続的な接触と信頼関係の深化:3人
2. 新規顧客開拓と関係構築の初期ステージ:5人
3. 展示車のメンテナンスとデジタルプレゼンスの強化

【具体的な活動内容と結果】:

1.既存顧客との接触:

・顧客Aとはメールで接触し、その満足度を確認。車に関する問題は一切報告されませんでした。これは我々の提供する車両の信頼性とサポートの質を示しています。

・顧客Bには連絡を試みましたが、応答はありませんでした。我々はこれらの状況に対して積極的で、明日再度接触する予定です。

・顧客Cとは電話で接触を試みましたが、話すことができませんでした。明日改めて試み、連絡を確立する予定です。

2.新規顧客へのアプローチ:

・ポテンシャルのある5人の新規顧客への接触を行い、そのうち2人から積極的な反応を得られました。具体的なアポイントメントはまだですが、これは新規顧客との関係構築の初期段階における大きな進歩です。

・顧客のニーズと要望に対応するため、車種や価格帯のリストを作成しました。これは、明日のアプローチに向けた準備の一部です。

3.展示車のメンテナンスと情報更新：
・我々の車両が常に最高の状態であることを確保するため、展示車2台の清掃と点検を行いました。大きな問題は見つかりませんでした。
・顧客が最新の情報を得られるように、各車の情報を更新し、ウェブサイトにアップロードしました。これにより、我々のデジタルプレゼンスを強化しました。

最初に営業担当者が書いた日報とChatGPTが書き直した内容を比べて、どんな印象をお持ちになったでしょうか？

おそらく人によって大きく見方は異なると思います。

ChatGPTによって修正された日報は、確かに言葉遣いが以前よりもポジティブになっています。たとえば「3つの活動を行いました」→「重要な3つの活動を実施し、業務の基盤を強化しました」「（ウェブサイトの）情報更新」→「デジタルプレゼンスの強化」等々。

ただ、実質的な内容が変わったかと言えば、決してそんなことはありません。言葉は悪いですが、本当は冴えない日報の内容を単に「粉飾」しただけとも言えそうです。

先述の「プロンプト・エンジニアリング」ではありませんが、もうちょっとプロンプトを工夫すれば、もう少し良い日報になるのではないか——そう思われる向きもあるかもしれませんが、恐らく大差はないでしょう。

なぜなら日報でどう言い繕ったところで、悪い営業成績が良くなることは有り得ないからです。

問題はこのような努力を上司がどう評価するかでしょう。これも人によって反応は異なると思います。

「日報の見た目を良くすることより、一件でも成約を増やすための実質的な取り組みに力を入れろ」と言う上司もいれば、逆に「今の成績は悪いけど、それでも不貞腐《ふてくさ》れることなく前に進もうとしている」と評価してくれる上司もいるでしょう。

少なくとも「日報の表現を前向きにする」という行為自体がマイナスに作用することはないはずです。しかもChatGPTにそれを頼めば、大して時間をかけずに楽にできますから、やらない手はないでしょう。

一方で、「日報を一旦自分で書いてからChatGPTに修正させるよりも、最初からChatGPTに書いてもらった方がいいのではないか」と思う方もおられるかもしれません。

しかし日報に記す内容、つまり今日の活動内容などは箇条書きにしてChatGPTに入力する必要があります。日報は基本的に箇条書きのようなスタイルですから、ChatGPTに必要情報を入力した段階で実質的には自分で日報を書いたようなものです。

そうであるなら、最初は自分でちゃんと日報を書いて、それをChatGPTに修正させる方が、それほど余計な手間をかけることなくベターな結果が得られるはずです。

もう一つ、これはもっと本質的な問題提起ですが、そもそも日報の見栄えよりも重要なのは営業成績の方です。ですから、本来ChatGPTに頼むべきことは「私が営業成績を上げるために、どうしたらいいかを教えて」ということかもしれません。

ただ、実際そのようなリクエスト（プロンプト）を入力してみましたが、ChatGPTからは大して効果的な答えは返ってきませんでした。その詳細は省略しますが、たとえば「既存顧客の深掘り」あるいは「新規顧客へのアプローチ強化」など、聞いたところで何の役にも立たない平凡で抽象的なアドバイスばかりです。

ここでもプロンプトをいくら工夫したところで結果に大差はありません。少なくとも現時点のChatGPTが得意とするのは、文書処理に代表される事務的作業の効率化です。ChatGPTのベースにある大規模言語モデルは、あくまで言葉を巧みに扱う「自然言語処理」のために開発された技術であるからです。

逆に、営業成績を一気に上げることができるような独創的アイディアをChatGPTに期待するのは間違っています。それは本来、私達人間がやるべき仕事です。

複数の英文記事をもとに日本語のレポートを作成

私達が日頃行う業務では、ときには英文など外国語の文献も含め大量のドキュメントを読み込んで、それらの内容を頭に入れると共に報告書にまとめて提出するケースもあります。

以下、そんな状況を想定して実際にChatGPTで作業をこなしてみましょう。

まず最初は、時事的な内容の英文記事を読んで、それを調査業務で簡単に参照できる日本語の短いレポートにまとめてみたいと思います。記事の内容は２０２３年3月末、前アメリカ大統領のドナルド・トランプ氏が米ニューヨーク州の大陪審（検察官から提出された証拠などをもとに起訴の可否を決める組織）から起訴されたニュースです。

これについて非常に長文のニューヨーク・タイムズ（ＮＹＴ）の電子版記事を、ChatGPTに要約させてから日本語に翻訳させてみましょう。

具体的な作業としては、オリジナルの英文記事をコピーして、ChatGPTのプロンプト入力欄にペーストするだけです。無論、記事のコピーを自分のホームページなどで公開することは著作権の侵害に当たりますが、職場で日頃の調査業務などに使うのであれば何ら問題はないはずです。

ただし本稿は出版つまり一種の公開用の原稿ですから、以下では著作権侵害を回避するため、オリジナルの英文記事は全体のごく一部、つまり最初と最後の部分だけをお見せすることにします。それに対して、ChatGPTはどのような出力を返してくるでしょうか。

Model:GPT-4

MA 以下のNYT記事を要約して日本語にしてください。

A President Faces Prosecution, and a Democracy Is Tested For more than two centuries, American presidents were effectively shielded from indictment. But the case against former President Donald J. Trump breaks that taboo and sets a new precedent.

By Peter Baker
Peter Baker has covered the last five presidents. He reported from Washington.

March 30, 2023
Updated 7:53 p.m. ET
For the first time in American history, a former president of the United States has been indicted on criminal charges. It is worth pausing to repeat that: An American president has been indicted for a crime for the first time in history.

中略

card due to Mr. Ford. "It seems more than a little unfair to make him a scapegoat for the wrongdoing of subsequent presidents," Mr. Smith said. "As he himself warned in 1980, if voters ever chose an arrogant president 'and I mean in a vicious way — God help the country.'"

アメリカの歴史で初めて、元大統領が刑事訴訟の対象となりました。それは、アメリカ大統領が初めて犯罪で起訴されたという歴史的瞬間です。これまでの2世紀以上にわたり、大統領は起訴から事実上保護されていましたが、ドナルド・トランプ元大統領に対する事件はこのタブーを破り、新たな先例を作りました。

この事件は、世界最古の民主主義国家であるアメリカが、これまでにない道を進むことになるという大きな話題となっています。今後、この先例が国を引き裂くことになるのか、それとも、かつて世界で最も権力を持っていた人物でさえ法の上に立つことができないという、真実と向き合う瞬間になるのかが注目されています。

また、トランプ氏はジョージア州での2つ目の起訴や、連邦検察官からの3つ目の起訴、さらには4つ目の起訴にも直面する可能性があります。憲法の執筆者たちは、元大統領が刑事責任から免れることはないと考えていましたが、トランプ元大統領の起訴は、国家の長期的な影響を懸念しています。

最近の先進民主主義国家の指導者で有罪判決を受けた人物には、フランスのジャック・シラク元大統領（横領）、ニコラ・サルコジ元大統領（影響力の悪用）、韓国の朴槿恵元大統領（汚職）、台湾の陳水扁元大統領（賄賂）などがいます。

アメリカでは、ティーポット・ドーム事件、ウォーターゲート事件、イラン・コントラ事件、ホワイトウォーター事件で大統領が訴追されることはありませんでした。起訴や有罪判決が元大統領の再選を妨げることはなく、今後の動向が注目されています。

要約の事実関係に誤りは見当たらず、文章も簡潔で読み易いです。ただし、その中盤で「主語と述語の係り受け」など日本語の文章表現に若干不自然な点が見受けられます。その点を除けば、ほぼ満足できる内容と言っていいのではないでしょうか。

次に、同じトピックのウォール・ストリート・ジャーナル（ＷＳＪ）の長文記事で同じことをしてみましょう。

MA 以下のWSJ記事を要約して日本語にしてください。

Grand Jury Votes to Indict Donald Trump Criminal case sought by Manhattan district attorney in hush-money probe is a first against a former president

Trump-Stormy Daniels Investigation: Grand Jury Votes to Indict Trump

YOU MAY ALSO LIKE

Trump-Stormy Daniels Investigation: Grand Jury Votes to Indict Trump
Photo: Associated Press

By Corinne Ramey Follow and Joe Palazzolo Follow
Updated March 30, 2023 8:00 pm ET

SAVE PRINT TEXT 1727

Donald Trump was indicted for his role in paying hush-money to a porn star on the eve of the 2016 election, marking the first time in American history that a former president has faced criminal charges.

The grand jury returned the indictment of Mr. Trump after a vote on Thursday, kicking off a process in which the former president is expected to come to New York to face the charges.

The indictment, sought by the office of Manhattan District Attorney Alvin Bragg, isn't public.

中略

Prosecutors could argue that the alleged conduct isn't too old because Mr. Trump lived out of state much of the past six years, pausing the statute of limitations. And New York extended the time allowed to bring charges during the pandemic.

元米大統領ドナルド・トランプ氏が、2016年の大統領選挙前夜にポルノスターへの口止め料を支払った件で起訴されました。これは、元大統領が刑事訴追を受ける初めてのケースです。マンハッタン地区検察官アルビン・ブラッグ氏が求めた起訴状は、公開されていません。

ニューヨークでは、被告が初めて法廷に登場するまで、通常は起訴内容が明らかにされません。トランプ氏は、来週初めに出頭し、起訴を受ける見込みです。トランプ氏の弁護士は、「彼は犯罪を犯していない。私たちは法廷でこの政治的訴追に猛烈に抵抗する」と述べています。

ブラッグ氏が起こしたこの訴訟は、民主党員であることから、決して確実なものではありません。ブラッグ氏の前任者であるサイラス・ヴァンス・ジュニア氏と連邦検察官は、口止め料に関連する単独の訴訟でトランプ氏を起訴することを見送りました。裁判に持ち込まれた場合、元トランプ氏の弁護士であるマイケル・コーエン氏の証言を信用する陪審員が必要となるでしょう。コーエン氏は、2018年に連邦の重罪で有罪判決を受けています。

このニューヨーク州の訴訟は、トランプ氏が最終的に有罪判決を受けても、彼の大統領候補資格には法的影響を及ぼさないと見られています。アイオワ大学ロースクールのデレク・ムラー教授によれば、米国憲法は最高職に立候補する者にクリーンな記録が必要という要件を課しておらず、州が大統領候補に独自の制限を課すことは禁じられているとの法的合意があるからです。

こちらも、かなり良い出来です。やはり日本語の文章表現に若干不自然な点が見受けられますが、読んでいて気に障る程ではありません。恐らくは英文を日本語に翻訳する過程で生じた軽度の齟齬ではないかと思われますが、そうした翻訳のレベルにしても「Google翻訳」や「DeepL翻訳」など他の翻訳専門ツールよりも、むしろ（汎用ツールの）ChatGPTの方がクオリティが高いと筆者には感じられました。

最後に、これら2つの要約を1本の内容にまとめさせてみましょう。果たして、どんなレポートが出来上がるでしょうか。

MA 本来リベラルなNYTの記事はトランプ氏の起訴を支持し、共和党寄りのWSJは逆です。両方の記事の要約をまとめて最もバランスのとれた内容にしてください。

ニューヨーク・タイムズ（NYT）とウォール・ストリート・ジャーナル（WSJ）の記事によると、元米国大統領ドナルド・トランプ氏は、2016年の選挙前夜にポルノスターに口止め料を支払ったとされる事件に関連して、マンハッタン地区検察官のアルビン・ブラッグ氏によって起訴されました。これは、元大統領が刑事訴追される初めてのケースです。

両紙によれば、この事件はトランプ氏の弁護士マイケル・コーエン氏が主導したもので、彼は2018年に連邦選挙資金規制違反などの容疑で有罪を認めました。コーエン氏は、トランプ氏が2016年の選挙前夜にストーミー・ダニエルズ（本名ステファニー・クリフォード）に13万ドルを支払い、彼女との性的関係について沈黙するよう依頼したと主張しています。トランプ氏はダニエルズとの不倫を否定し、コーエン氏のアドバイスに従っただけだと述べています。

NYTは、トランプ氏の起訴が前代未聞の事態であり、政治的報復とみなされる可能性があると指摘しています。一方、WSJは、この事件がトランプ氏の将来の政治的影響について議論を呼び起こしており、支持者層には影響が限定的であることを示唆しています。両紙はまた、トランプ氏が法的な影響を受ける可能性があることを認めていますが、彼の大統領選挙への立候補資格には影響しないとの見解を示しています。

記事によると、今回の起訴によってトランプ氏の求心力が強化されるか、逆に弱まるかは分かりません。彼はこれまでに2度の弾劾を経験し、その都度支持者層を維持してきました。しかし、一部の共和党員にとっては、この事件が彼らに他の候補者を支持する理由を提供するかもしれません。

これは筆者がリクエストした通り、政治的な面でバランスのとれた内容です。日本語の文章表現も自然で、文法的な誤りも見当たりません。ただし厳密には「2本の要約」を1本にまとめたというより、2本のオリジナルの英文記事を1本の要約にまとめた形に見えます。

つまり筆者の要求したものとは若干異なる内容ですが、むしろ結果的にはこちらの方が望ましい情報となりました。ほぼ完璧なレポートと言えるでしょう。筆者が最初にChatGPTにNYT記事の要約をリクエストしてから、最後にまとめのレポートが作成されるまでに要した時間は僅か5分程度でした。

仮に筆者がChatGPTを使わないで、これらの作業をこなしていたなら、少なくとも半日、下手をすれば一日がかりの仕事になっていたかもしれません。こうした文書処理の効率化という点で、ChatGPTのようなテキスト生成ＡＩは驚異的な能力を備えているると言えそうです。

物議を醸しそうな予想は断固拒否

本書では割愛しますが、この後も「共和党の有権者に対する今後の影響について分析してください」など追加のプロンプト（リクエスト）をChatGPTに幾つか出してみたところ、いずれもクオリティの高い分析結果が返ってきました。

ただ一つだけ、ChatGPTがどうしてもこちらの言うことを聞かないのは、仮にトランプ氏が大統領選に立候補した場合の勝敗予想です。プロンプトの表現を何度も変えて質問しましたが、何度尋ねても「私はＡＩであり、将来の出来事を正確に予測する能力は持ち合わせていません」という旨の回答が返ってきました。

ただし一般的に将来予想を拒否するというわけではなく、今回の事例のように物議を醸すような事案の予想には手を出さないように設定されているようです。

もっとも、それが「最後は自分で考えろ」という意味なら、私達人間の仕事も残されているわけで、その点ではむしろ歓迎すべきかもしれません。そんな皮肉も言いたくなるほど、この種の作業についてChatGPT（GPT-4）の業務遂行能力は高いです。

もちろんChatGPTもオールマイティではありません。たとえば数学が大の苦手です。（GPT-4のCode Interpreter機能を使えない）無料版ChatGPTでは、連立一次方程式など中学校レベルの数学の問題を解くことができません。

ただ、一般のビジネス・パーソンが通常業務で連立方程式を解くことが必要となるケースはまずないでしょう。むしろオフィスワーカーの業務時間の大半は各種ドキュメントの処理や分析に充てられていることを考えると、ChatGPTあるいは（次章で紹介する）「Microsoft 365」や「ビング（Bing）」など生成ＡＩを組み込んだ新製品が、私達の仕事を効果的にサポートするようになることは間違いなさそうです。

無理なく使える範囲で十分

さて、ここまで幾つかの使用例をご覧になって、どんな印象を持たれたでしょうか？

筆者自身の率直な感想は「ChatGPTは非常に強力なツールではあるが、それがやれることには限界がある」ということです。繰り返しになりますが、基本的には文書処理に代表される事務的作業の効率化です。

逆に、営業成績を一気に上げたり、日ごろの業務の進め方を一新するような独創的アイディアをChatGPTに期待することはできません。

しかし私達の日常業務には、何らかの創造性を要求される仕事と、それをアシストする事務的作業の両方があります。特に後者の作業量は大きいですから、その部分をChatGPTで効率化できるというのは非常に大きな意味を持つと思われます。

ここまでお読みになって、もう一つお気付きになった点があるとすれば、いずれのケースでも筆者はプロンプトにそれほどの工夫をしていないということでしょう。

たとえば最初のケースではプロンプト入力欄に、同窓会で再会した同級生からの営業メールをコピペして、「相手が気分を害さないように断りの返事を書いてくれ」と簡単な指示を出しただけです。また2番目、3番目のケースでもほぼ同様に、基本的にはChatGPTにやって欲しいことを、簡潔なプロンプトで指示しただけです。何ら、工夫らしいことはしていません。

それでもChatGPTからは満足できる答えが返ってきているし、逆にプロンプトにもっと工夫をしたところで、その回答にそれほど大きな違いが出るとは思えません。

本書では先述のように「プロンプト・エンジニアリング」と呼ばれる一種のテクニックを紹介しましたが、あくまで、こうしたトレンドがあるということを指摘しただけであって、筆者自身はこのような工夫に重きを置いていません。

よくＩＴ関連の雑誌やウェブ・メディアなどではプロンプト・エンジニアリングの実例として「こういうプロンプトにすれば、こういう素晴らしい答えを得ることができます」といった事例が多数紹介されています。

しかし、それらの事例をよく見ると、ChatGPTに入力されるプロンプトの文章の方が、ChatGPTの出力するメールやレポートなどの文章よりも長くて込み入っている場合がしばしばあります。そこまで苦労した割にはChatGPTから出力された答えは大したことがない、というケースも見受けられます。

「そんなことなら、最初から自分でメールやレポートを書いた方が良いのでは」と、つい思ってしまいます。

本来、私達ビジネスパーソンがやらねばならないことは、言うまでもなく自分の仕事であって、ChatGPTのようなＡＩを使うことではないはずです。後者はあくまで前者を成し遂げるための手段に過ぎないのであって、その手段にそれほど多大なエネルギーや時間を割かねばならないとすれば、明らかに本末転倒と言えるでしょう。

要するにChatGPTのような生成ＡＩは、私達が無理なく使える範囲で使えばいいはずです。それでも用途を限定すれば十分に結果が出せるような能力を生成ＡＩは既に備えていますし、逆に特定の用途においては思うような結果が出ないようであれば、最初からそうした目的には向いていなかったということでしょう。

もちろんプロンプトの内容を変えれば多少の変化はあるかもしれませんが、それは敢えて意識せずとも、多くのユーザーが良い答えを得ようとすれば自然に行っていることです。

逆に「エンジニアリング」と呼べるような体系的な技術と見ることはできません。あくまで「工夫」といった程度の位置づけに過ぎず、そこにそれほどの重点を置く必要はないと筆者は考えています。

むしろChatGPTのような生成ＡＩを使う上でユーザーが留意すべき点は、（以前にも指摘しましたが）次の３点に集約されます。

①生成ＡＩに入力するプロンプトは機械学習などを通じて外部に漏洩する恐れがあるので、機密データや顧客情報のような秘匿性の高い情報は決して入力しないこと
②生成ＡＩの返す答えには、ときに誤りや捏造などの情報が含まれているので注意すること
③生成ＡＩの出力するコンテンツは他者の著作権に抵触している可能性があるので、その扱いには慎重を期すること

これらの点に留意して、ユーザーはある意味で自己中心的に生成ＡＩを使うべきだと思います。つまりプロンプト・エンジニアリングのように「ＡＩを使うことに精力を注ぐ」のではなく、あくまで「自分の仕事で良い成果を出すこと」に集中すべきです。

使うのに苦労するようであれば、むしろ生成ＡＩなど使わない方がいいでしょう。無理無く使えて、それなりの成果を出せるからこそ、ＡＩを業務に導入する意味があるのです。

第4章　未来予測——私たちの生きる世界は今どこに向かっているのか

人とパソコンが対話しながら仕事をする

オフィスワーカーの最も身近なツールであるパソコンが、私達人間の言う通りに働くロボットのようになる——米マイクロソフトが２０２３年６月にプレビュー（テスト公開）を開始した「ウィンドウズ・コパイロット」は、そんな時代の到来を予感させる対話型ＡＩです。

「コパイロット（Copilot）」は副操縦士を意味し、人間が言葉で指示をすることでパソコンを操作できるようにする仕組みです。普段はウィンドウズのデスクトップ画面の最下部にあるタスクバーにアイコンとして常駐しています。

必要に応じて、このアイコンをクリックするとデスクトップ画面の右側に縦長のサイドバーが表示されます。これが私達ユーザーとコパイロット（ＡＩ）が対話するためのチャット画面になります（図１）。

このチャット画面を通して、ちょうどChatGPTのようにＡＩに対して様々な質問をすることができます。これらの質問にＡＩが答える形で、ユーザーが満足する回答を得

図1　マイクロソフトの対話型AI「ウィンドウズ・コパイロット」

出典：Microsoft Windows Blogs　https://blogs.windows.com/windowsdeveloper/2023/05/23/bringing-the-power-of-ai-to-windows-11-unlocking-a-new-era-of-productivity-for-customers-and-developers-with-windows-copilot-and-dev-home/

るまでチャットが続いていきます。

また各種アプリの起動や操作、パソコンの設定変更、さらには文書ファイルの処理といった作業も、言葉による命令つまり「対話形式」でＡＩに指示することができます。

たとえば「ちょっと目が疲れたので、パソコンの操作環境を改善したいんだけど」とリクエストすると、ＡＩが目に優しい画面設定を提案して自動的に変更します。

あるいは会議の議事録などの資料をＰＤＦファイルにしてチャット画面にドラッグ・アンド・ドロップし、その資料の要約を指示することもできます。

さらに「気分転換に音楽が聴きたいな」

などとリクエストすると、音楽配信サービスから楽曲のリスト等を含む再生画面を表示してくれる、といった具合です。

マイクロソフトは基本ソフトの「ウィンドウズ」に先立って、ワープロ「ワード」や表計算「エクセル」をはじめとするオフィスアプリ「Microsoft 365」にもコパイロット機能を導入し、これら定番の業務用ソフトもＡＩとの対話形式で操作できるようにしました。

今のところコパイロットは、あくまでサイドバーを経由したチャット、つまりテキスト形式の会話機能に限定されています。しかし、いずれは音声認識機能と連携することで、私達が実際に口から発する言葉によってパソコンに指示を出し、パソコンの方でも合成音声による言葉で返事をするようになるでしょう。

つまり近い将来、私達はパソコンというＡＩロボットと音声で会話しながら仕事をするようになりそうです。

昨今のパソコンは過去に比べて使い易くなったとはいえ、ユーザーが特定の仕事に必要なアプリの名前を思い出せなかったり、（表計算の）エクセルや（プレゼン用ソフトの）

パワーポイントなどの複雑な操作方法を習得するのに時間がかかったりするなど、実はそれほど使うのが簡単ではありませんでした。

しかしコパイロットの導入などにより、これからは私達がパソコンに「あれしろ、これしろ」と命令するだけで簡単に（あるいは直観的に）使えるようになるのです。

また「クリエイティブ・モード」あるいは「面白モード」などと端末の性格を設定することで、パソコンの方でも「はいはい、わかりました。人（機械？）使いが荒いですね」などと軽口を叩きながら私達と一緒に仕事をするようになるかもしれません。

ここまで行くと、ほとんどSFの世界ですが、技術的には現時点でも十分可能な射程圏内に入ってきています。あとはマイクロソフトのようなメーカー側がそれを本当にやるか否か、あるいは私達ユーザーがそれを受け入れるかどうか、だけで決まってくるでしょう。

あくまで筆者の個人的な予想ですが、恐らく最終的にはそうなるような気がします。

もちろん会社のオフィスでは周囲の同僚達の視線や職場の雰囲気にも配慮して、せいぜいチャットでパソコンを操作するのが関の山でしょう。しかし在宅勤務の会社員や個人事業主らが自宅で長時間働く場合等には、孤独を紛らわせるためにもパソコンの対話型ＡＩを話し相手に働くということは、今後十分あり得ると思うからです。

「人が機械に合わせる」時代から「機械が人に合わせる」時代に

こうした傾向はパソコンだけに留《とど》まりません。

独メルセデス・ベンツグループは２０２３年６月、米マイクロソフトと連携し、同社製の自動車にChatGPTによる対話型ＡＩ機能（図２）を試験的に搭載すると発表しました。

同社は以前から、音声でエアコンを操作したり音楽を再生したりするためのシステムをクルマに搭載しています。これに加えて今回のChatGPTの導入により、さらに高度できめ細かい操作が可能になります。

たとえばドライバーが運転中に音声で訪問先の詳細を尋ねたり、夕食のレシピを提案したりすることが可能になるといいます。

図2　メルセデス・ベンツのChatGPTによる対話型AIシステム

出 典：Mercedes-Benz Media https://media.mercedes-benz.com/article/323212b5-1b56-458a-9324-20b25cc176cb
（写真提供　メルセデス・ベンツ日本株式会社）

この対話型ＡＩの機能は、まず米国で90万台以上のクルマに約3ヵ月間試験提供され、そこでドライバーから得られた反応をもとに本格的な導入が進められていく計画です。

こうした車載の対話型ＡＩは、今のところはいわゆる「インフォテインメント（情報・娯楽システム）」を音声で操作する機能に限定されていますが、いずれは自動運転技術の実用化と並行して「音声で行く先を指定すれば、クルマが自動でそこまで運んでくれるようなＡＩシステム」へと発展していくのではないでしょうか。

たとえば自動運転車に乗り込んだ人間が

シートベルトを締めながら「急いで○○空港まで行ってくれ。途中の道は多分混んでるけど、何とか30分で着けないかな？」と頼むと、自動運転車のＡＩが「お安い御用で！」などと（言うかどうかまでは分かりませんが）行く先まで無事運んでくれる――そんな時代が間近に迫っています。

このクルマにしても（前述の）パソコンにしても、以前ならユーザーがこれら機械の操作方法を、ある程度の時間をかけて習得する必要がありました。

たとえば、これまで自動車を運転するには、自動車教習所に通って教官の指導の下でアクセル、ブレーキ、ステアリング（ハンドル）などの基本的操作から、「縦列駐車」や「坂道発進」など高度な運転技術までマスターしなければなりませんでした。

あるいは１９８０年代のパソコン黎明《れいめい》期には、特に中高年層のビジネスパーソンらは、かなり苦労しながら、キーボードやマウスの使い方、基本ソフトやアプリケーション・ソフト（アプリ）などの概念や操作方法を学んでいきました。また今でも、表計算ソフトをはじめ各種アプリやインターネットの操作方法などを学ぶパソコン教室は数多くあります。

これらの状況は言わば、「私達人間が自動車やパソコンという扱い難い機械に自分たちを合わせていた」と見ることができます。

しかし今後、マイクロソフトの「コパイロット」やメルセデス・ベンツグループによる対話型ＡＩ、さらに自動運転技術などが実用化されていけば、ユーザーは以前のようにパソコン教室や自動車教習所などに通って、それら複雑な機械の操作方法を学ぶ必要はなくなります。

何故なら、これらＡＩを搭載した機械の方が私達人間に合わせて半ば自力で働いてくれるようになるからです。私達はこれらの機械に「あれしろ、これしろ」と命令するだけです。

つまり、これまでの「人が機械に合わせる時代」から、これからは「機械が人に合わせる時代」へと社会が移り変わっていくのです。

スキルが要らなくなる時代は人間にとって幸せなのか？

機械が人に合わせる時代は一見、私達人間が苦労せずに何でもできるようになるから良い時代のようにも思えます。しかし本当にそうでしょうか？

これまでコンピュータや自動車のような機械を使うには何らかのスキル（技能）が必要とされてきましたが、機械が人に合わせるようになれば、そのようなスキルは無用になるでしょう。

これは私達にとって本当に幸せなことなのでしょうか？

ChatGPTが登場して以降、最近までの経緯を見ると、どうもそうではないような気がします。

（第3章でも言及しましたが）ＩＴ系の雑誌やウェブメディアを見れば、「あなたの欲しい回答を引き出すベスト・プロンプトを大公開」といった見出しが躍っています。

具体的にはChatGPTに業務レポートを書かせたり、新製品のアイディアを提案させたり、表計算ソフトのデータ処理を自動化させたり、あるいは取引先へのお礼のメールを書かせたり、会議の録音データを文字起こしさせたり、その議事録を作らせたりと多岐にわたります。

これら様々な作業において「良いプロンプト」と「悪いプロンプト」の両方を紹介し、それによるChatGPTの出力結果を比較したうえで、「良いプロンプトにすると、こんなに良い結果が得られます」と謳《うた》っています。

しかしChatGPTにメールや業務報告書などを書かせる場合には、「送信先の相手に伝えたいこと」や「実際にその仕事で何をやったか」等を箇条書きで入力しなければなりません。その際、入力する情報が詳細であればあるほど、ChatGPTから出力されるメールや報告書もベターになるとされます。（前述の）ＩＴ系雑誌のベスト・プロンプト特集などでは、それを推奨しているわけです。

これがまさに「プロンプト・エンジニアリング」と呼ばれるものですが、かなりの量の情報をChatGPTに入力することになり、その結果出力されたメールやレポートよりも、箇条書きで入力した情報や様々な指定条件などを含むプロンプトの方が長くなってしまうこともあります。

そんな面倒なことをするくらいなら、最初から人間が自力でメールやレポートを書いた方が早いのではないか、と思ってしまいます。また、そこまでプロンプト作りに苦心した割には、それほど優れた内容のメールやレポートが作成されたようにも見えません。が、それでもそういう努力や工夫をせざるを得ないように私達人間はできているようです。

言葉を換えれば、ChatGPTなど生成ＡＩの登場によってパソコンなど機械を操作するための特殊技能は必要とされなくなってきているのに、人はどうしても（あまり必要とは思えない）プロンプト・エンジニアリングのような新たな技能を開拓し、それを磨きたいという欲求に駆られてしまう――そのように筆者には見えます。

技能を育むことは人類の「第二の性質」

考えてみれば、そうなるのは止むを得ないことかもしれません。人類の歴史とは、新たなツール（道具）や技術の開発と、それらを使いこなすスキルの歴史であったと見ることもできるからです。

今から約250万年前に始まった旧石器時代、私達の祖先は石や骨を使用して原始的な道具を作り出し、狩猟や採集、自己防衛などのためにこれらを使用しました。

当然、そのためには何らかのスキルが必要とされ、それに長《た》けた者がより多くの獲物や安全を確保して、部族内での尊敬や地位を確立していったと想像されます。

約1万年前には新石器時代に入り、人類は狩猟採集から農業と定住生活に移行しました。ここでも種子の植え付け、農産物の育成と収穫などの他、畜産や陶芸、紡績などの技術が開発され、これに伴い様々な技能や専門知識が必要となりました。

その結果、技能の分化が始まり、個々の人々が特定のスキルセットを持つようになりました。つまり「職業」が生まれたと想像されるのです。

もちろん大半の労働者は農業従事者であったと推測されますが、農産物つまり食料がコンスタントに生産できるようになったことで、一部の人々は食料生産から解放され、それ以外の様々な活動に専念できるようになりました。これが職業の始まりと考えられます。

時代は一気に飛びますが、18〜19世紀の産業革命時代には、蒸気機関や紡績機など新たな機械が発明されました。多くの労働者が集まって製品を作る工場が建設され、そこでの仕事は手作業から各種機械の操作へと移行しました。工場労働者はこれらの機械を操作するための新しい技能を習得する必要に迫られました。

19〜20世紀にかけて電磁気学が発達すると、電球や電話、ラジオやテレビなど電気を利用した新たな技術や製品が発明されました。家庭や工場では電気が利用されるようになり、電気技師や電気工事士など新たな職業と技能が生まれました。

20世紀中盤に量子力学に基づくトランジスタが発明されると、「電子」というミクロの存在を操作するための「エレクトロニクス（電子技術）」が発達しました。これにより半導体やデジタル計算機（コンピュータ）などの電子デバイスが発明され、これら電子製品の設計、製造、保守を担当する電子技術者という新しい職業が生まれました。

20世紀終盤〜21世紀にかけて、このエレクトロニクスをベースに情報技術（ＩＴ）が発達を遂げ、デジタル革命の時代へと突入します。「ソフトウエア開発」という新種の製造業が誕生し、そこでは「プログラミング言語」と「コーディング」という新たな知識と技能が求められるようになりました。

また一般社会におけるパーソナル・コンピュータ（パソコン）の普及に伴い、キーボードやマウスを使った基本的なコンピュータの操作方法が、あらゆる頭脳労働者の必須技能となりました。そこには電子メールの送受信からワープロによる文書作成、表計算ソフトへのデータ入力と分析作業まで、様々なタスクが含まれます。

さらに最近では、ソーシャル・メディアやビデオ会議ツールなどデジタル・プラットフォーム上での、効果的・効率的なコミュニケーション・スキルなども求められるようになりました。

こう見てくると、気の遠くなるほど長い時間の流れの中で、新たに登場する技術や製品に必要とされる技能を開拓し、それらを磨く行為は私達人類の「第二の性質（second nature)」になったと考えられます。それが今になって突然「これからは（ＡＩを搭載した）機械が人間に合わせてくれるから、君たちのスキルは要らなくなる」と言われても、私達人間は困ってしまうのではないでしょうか。

もちろん「コンピュータのような機械の操作はＡＩに任せて、これからの人間は人間にしかできない高度で創造的な仕事に集中すべきだ」との意見も聞かれます。それは一見もっともらしい提案にも思えますが、「高度で創造的な仕事」とは一体何なのでしょうか？

「もっと高度なことをやれ、もっとクリエイティブな仕事をしろ」と漠然と言われても、人は実際何をやっていいか分からないのではないでしょうか。

むしろ古代の「石器」や「刃物」などに始まる様々な道具を使うために手を器用に動かし、現代ではコンピュータという極めて複雑な機械を操作するための「プログラミング」など具体的な作業に携わる過程で、何らかの「偶然」や「閃《ひらめ》き」といった幸運のお陰で「創造性」なるものが発揮されたと見ることはできないでしょうか。

つまり、これまで私達が各種のツールを使うために手を動かして工夫してきた代わりに、これからは頭の中だけで「うーん、うーん」と考え込んでも創造的な仕事はできないような気がするのです。

結局、最も人間的とされるクリエイティブな職域まで含め、あらゆる仕事や職業は何らかの技能と密接に結びついており、生成ＡＩの発達によって、その技能が要らなくなるということは私達人間の存在価値が失われることにもつながりかねません。

画像生成ＡＩの作品に著作権は認められるか

今、プロンプト・エンジニアリングに関心が集まっているのも、まさにそれが理由となっているような気がします。ChatGPTなどの生成ＡＩをある種のツールとみなし、それを操るためのプロンプト作成を一種の技能とみなせば、そこに新たな職業が生まれ、労働者の存在理由は維持されるからです。

しかしプロンプトによって生成ＡＩを操作することは、本当に技能と呼べるのでしょうか？

それを考えるための手掛かりになるのは、ChatGPTのようなテキスト生成ＡＩよりも、むしろミッドジャーニーやステーブル・ディフュージョンなどの画像生成ＡＩです。

実際、これらの画像生成ＡＩを使ってリアルな細密画などを描き出すには、相当手の込んだプロンプトを入力しなければなりません。そしてプロンプトの内容によっては、まさにプロのイラストレーターや画家が描いたかのような見事な作品が出力されることから、そのようなプロンプトを作成する行為をある種の技能と見る向きもあります。

これに関して特筆すべきケースがあります。

2022年、米国のクリス・カシュタノヴァという人物が画像生成AIの「ミッドジャーニー」を使って「夜明けのザリヤ（Zarya of the Down）」という劇画作品を製作しました。カシュタノヴァ氏はロシアで生まれ育ちましたが、その後はニューヨークのAI関連のスタートアップ企業でソフトウエア開発者として働いてきました。

因みにカシュタノヴァ氏はその肖像写真から判断する限り女性ですが、自身が性別による分類を拒んでいるのか、Mr.やMs.の代わりにMx.という中性の敬称で呼ばれることを求めています。

同氏が製作した「夜明けのザリヤ」という作品は全体が僅か18ページというコミックブック（劇画本）です。内容的には、ニューヨークに住むザリヤという若い女性が、ある朝目覚めたら記憶喪失になっていたところから始まる一種のSFです。

そのストーリーや登場人物のセリフなどはカシュタノヴァ氏が自力で考え、劇画を構成する各コマの画像は同氏がミッドジャーニーを操作することで描き出しました。

カシュタノヴァ氏は2022年9月、米国の著作権局（US Copyright Office）に「夜明けのザリヤ」の著作権登録を申請しました。一旦、それは認められましたが、後にその作品の画像部分がミッドジャーニーで製作されたことを知った著作権局は、同氏に対し「却下されるべきではない理由を示さない限り、著作権を取り消す」との旨を通達しました。

同年11月、カシュタノヴァ氏は弁護士を通じて「ミッドジャーニーはあくまでツールとして利用したに過ぎず、作品は全て自分が考えて創作した。従って著作権は認められるべきだ」との旨を著作権局に伝えました。

翌2023年1月、著作権局はカシュタノヴァ氏の反論を踏まえた上で、改めて、この作品に著作権を認めるかどうかの審査を始めました。

当時は「夜明けのザリヤ」以外にも、画像生成AIを使って製作された絵画やイラストなどが注目を集めていました。中には、コロラド州のアート展示会で優秀賞を受賞して300ドル（約4万円）の賞金を獲得した画像生成AI製の絵画などもあります。しかし、これらの作品はプロの画家やイラストレーターなどから敵視されていました。

従来のアーティストがキャンバスや仕事机に向かって、絵筆や画像編集ソフト等を使って長い時間を費やして丹念に描いてきた絵画やイラストなどとは対照的に、ミッドジャーニーのような画像生成ＡＩではプロンプトを入力するだけで、あっという間に画像が描かれてしまうからです。

「これほど安易に描かれてしまう画像は芸術作品ではないし、ＡＩに入力するプロンプトをある種の技能と見ることもできない。ましてや、それに著作権を認めるなど言語道断」というのが、アーティスト達の間ではほぼ一致した見解でした。

これに対しカシュタノヴァ氏ら生成ＡＩの使い手達（関係者の間では「絵師」などと呼ばれています）は「画像生成ＡＩを使いこなすのは、そんなに簡単なことではない」と反論しました。

たとえば「夜明けのザリヤ」には随所にディストピア的な近未来の光景が描かれていますが、これらの画像をミッドジャーニーで描き出すには「細胞の叡智（cellular wisdom）」や「エイリアンの森（alien forest）」などのレトリック（修辞）をプロンプトに含める必要があり、これら独特の言語表現にたどり着くまでカシュタノヴァ氏は何度も試行錯誤を繰り返したといいます。

頭の中で「ああでもない、こうでもない」と考えて編み出したプロンプトをミッドジャーニーに入力し、その出力画像を見てはプロンプトを修正して再度入力し、そのような作業を何十回、ときには何百回も繰り返した末、最終的に満足できる一コマの画像を描き出すことができるというのです。

ここまで長い時間と労力を費やし、ある種の創意工夫を凝らした作品である以上、それは芸術作品として認められ、著作権も付与されるべきだ。また、そのような作品を生み出す手段となるプロンプトは一種の技能として認められるべきだ――これがカシュタノヴァ氏ら生成ＡＩの使い手達による反論でした。

これらの主張を米国の著作権局に伝えるため、カシュタノヴァ氏は弁護士を雇いましたが、その費用はミッドジャーニーが負担しました。ここからミッドジャーニーのような生成ＡＩ業者の側でも、自分たちの技術が新たな芸術の手段として認められることを望んでいることが窺えます。

作品を生み出す主体は「人間」ではなく「ＡＩ」

２０２３年2月、米国の著作権局は「夜明けのザリヤ」の審査結果を明らかにしました。

それによれば、「夜明けのザリヤ」というコミック・ブックの著作権は認められるが、それを構成する各コマの画像部分には著作権は認められない、といいます。

もう少し詳しく説明すると、同作品における登場人物のセリフなどテキスト部分には著作権が認められます。また各コマの画像など視覚的要素の選択、配置、調整などに対する著作権も認められます。

しかし「ミッドジャーニー（という画像生成ＡＩ）を使って製作された画像自体には、著作権は認められない」という結論です。

いわゆる玉虫色の裁定ですが、ミッドジャーニーの出力画像には著作権が認められなかったことから、これは画像生成ＡＩの関係者にとって敗北と見るのが妥当でしょう。

なぜ、このような結論に至ったのでしょうか？　その主な理由は、ミッドジャーニーのようなＡＩが画像を生成するプロセスにあります。

これは専門的に「拡散モデル（diffusion model）」と呼ばれ、最初はフレーム全体がノイズ（雑音情報）に満たされたランダムなイメージからスタートして、そこからユーザーが入力するプロンプトに従って徐々にノイズを除去していくことにより、最終的な画像を描き出すプロセスです。

正直、そう言われても何だかよく分からないと思いますが、このような拡散モデルの重要なポイントは「画像を生成するためにノイズを除去していく過程において、本質的なランダム性（偶然性）が付きまとう」ということです。つまり「全く同じプロンプトを使っても、結果的に描き出される画像はかなり違ってくる」のです。

これは実際、自分で試してみるとよく分かります。

たとえば（ミッドジャーニーなどと同じく拡散モデルに従う）「ドリームスタジオ（DreamStudio）」という画像生成ＡＩに「Ethereal aurora borealis over a snowy mountain range, with a full moon shining in the background, mystical, peaceful, serene, winter landscape, high detail（背景に満月が輝く中、雪に覆われた山脈を彩る幻想的な

図3　画像生成AIに詳細な記述のプロンプトを入力することで描き出される画像

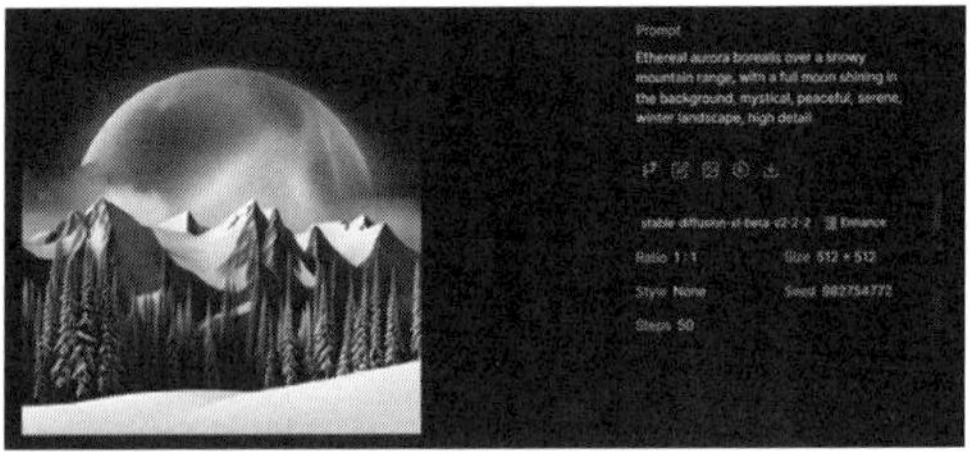

出典：https://beta.dreamstudio.ai/generate

オーロラ。神秘的で平和で静謐《せいひつ》な冬の風景を高精細で描いて)」というプロンプトを入力し、画像を生成するためのボタンをクリックすると、いかにもそのような風景を描いた画像が生成されます（図3）。

次に、これと全く同じプロンプトを改めて入力し、また生成ボタンをクリックしてみると、先程とは別の画像が描き出されます（図4）。

図3と図4は全く同じプロンプトに従って「満月を背景にした冬の山脈とオーロラ」を描いたという点では同じですが、「満月」や「山脈」など各種オブジェクトの大きさや形状、配置などの点において実質的には異なる画像です。

このような違いこそ、米国の著作権局が画像生成ＡＩの作品（並びに、それを製作したユーザー）に著作権を

図4　全く同じプロンプトを入力しても、実質的に異なる内容の画像が描き出される

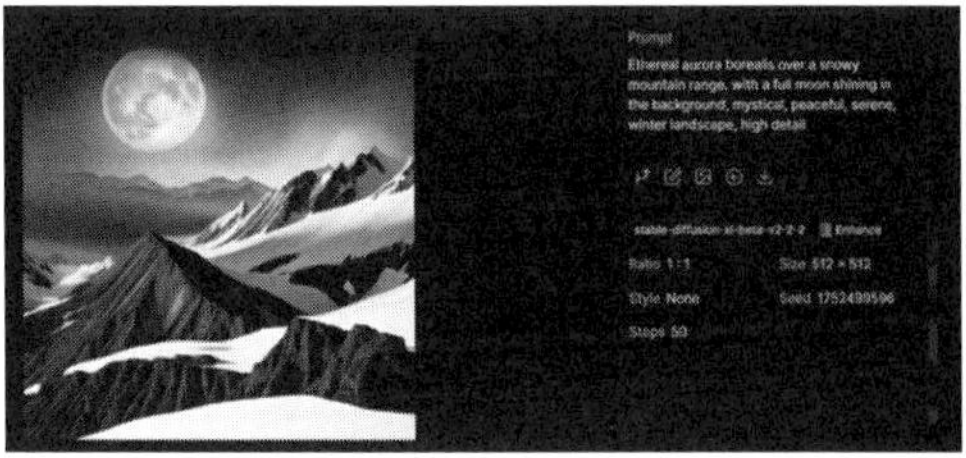

出典：https://beta.dreamstudio.ai/generate

認めないと決めた理由です。

つまり本来なら画像生成ＡＩを操作する手段であるはずのプロンプトが、実際には出力される画像の内容を完全に制御しているわけではない、ということです。

言い換えれば、画像を細部に至るまで完全に描き出しているのはプロンプト（を作成・入力したユーザー）ではありません。プロンプトはむしろ画像生成ＡＩにある種のヒントを与えているに過ぎないわけです。

従って、画像生成ＡＩを使って描き出された画像、またそのためのプロンプトを作成・入力したユーザーには著作権を認めることはできない、というのが米国の著作権局が示した見解なのです。

このようにユーザー（人間）に著作権が認められないとなると、一体誰が、あるいは何が画像を描き出していることになるのでしょうか？

それは恐らくミッドジャーニーのような生成ＡＩ自体と見るべきでしょう。このＡＩの「拡散モデル」という確率的なプロセス（あるいはそれを実行するニューラルネット）が実質的に画像を描き出している、という解釈になるはずです。

ただ、著作権局がこのような決定を下して以降も、画像生成ＡＩの使い手たちはその判断を受け入れたわけではありません。

彼らは「画像生成ＡＩの生成プロセスは、写真家がデジタル写真を撮影するのと同じだ」と主張します。

つまり最近の写真家はデジタル・カメラを使って無数の写真を撮影し、その中から偶々よく撮れた写真を最終作品として選択するわけですが、それには当然著作権が認められます。そうであるなら、同じく偶然性に左右される画像生成ＡＩの作品にも著作権は認められるべきだ、というわけです。

ただ、写真家が写真を撮影する際にはカメラのファインダーに収まった風景などのイメージを完全に認識した上でシャッターを切っています。確かに、そのような風景に出会うことには偶然が作用していますが、写真として出力される画像自体は偶然の産物ではありません。

これに対し画像生成ＡＩでは、画像を生成するプロセス自体が偶然性に左右されるわけですから、同じく「偶然」とは言っても、それが意味するところは写真の場合とは違うはずです。

この点は当の画像生成ＡＩの使い手たちが、半ば無意識に認めていることでもあります。彼らの間では、画像生成ＡＩに入力するプロンプトは「呪文（spell）」と呼ばれています。基本的に同じ意味のプロンプトでも、使われる言葉の選択や語順などをちょっと変えただけで、まるで魔法使いが呪文をかけたかのように、突如として素晴らしい画像が出現することがあるからです。

言わば「結果は見てのお楽しみ」のような側面が強いわけですが、これは実質的にユーザーが作成したプロンプトではなく、むしろ偶然性が画像生成プロセスを支配していることをユーザー自身が認めたようなものです。

これは本質的にはChatGPTのようなテキスト生成ＡＩにも当てはまります。前の章で紹介したように、ChatGPTのテキスト生成プロセスも偶然性に左右されるため、たとえ同じプロンプトを入力しても同じ結果が出力されるとは限らないからです。

従来、画家やイラストレーター、あるいは小説家らは、絵筆やペンタブレット、あるいはキーボードやマウスなどを使って、画像や文章の細部に至るまで制御しながら作品を創り出してきました。

つまり各種の芸術作品を生み出す主体は、あくまでアーティストという人間であり、彼らが使う絵筆やキーボード、マウス、ひいては画像編集ソフトやパソコンなどはツールに過ぎません。だからこそ、それらのツールを使って作品を生み出すアーティストの行為は「技能」と位置付けられるわけです。

これに対し（前掲の）図3、4のようなイラストを描き出す主体は画像生成ＡＩであって、そのユーザー（人間）ではありません。裏を返せば「ＡＩは人間のツールではなく、むしろ人間に代わって働く労働主体」という解釈になります。

また画像生成ＡＩに入力されるプロンプトはユーザーの「技能」というより、むしろユーザーがＡＩに「これこれこういう絵やイラストを描いて」とお願いする一種の「リクエスト」という位置付けになります。

だからこそ「結果は見てのお楽しみ」となるわけですが、まさにこれが画像生成ＡＩの出力する画像（並びに、そのユーザー）に著作権が認められなかった理由なのです。

人間の代わりに分身ＡＩが働く時代に

以上のように「働く主体が人間からＡＩになる」という流れは、今後どんな世界へと私達を誘《いざな》っていくのでしょうか？

それは「生成ＡＩが創り出すアバター（分身）が、私達人間の代わりに仕事をする時代」の到来かもしれません。このようなアバターは関係者の間で「デジタル・ツイン（デジタル分身）」などと呼ばれています。

既に、その兆候は表れています。

ニュージーランドのスタートアップ企業「ソウルマシンズ（Soul Machines）」は、生成ＡＩの技術を駆使して各界セレブ（著名人）のデジタル・ツインを開発・提供するビジネスを展開しています。

同社はゴルフ史上、最も偉大なプレーヤーの一人とされるジャック・ニクラウスと契約を結びました。全盛期である38歳のニクラウスのデジタル・ツイン（Digital Jack）を開発し、ウエブ・サイト上でファンと会話できるようにしました。

チェコスロバキア出身のスーパーモデル、エヴァ・ハーツィゴヴァも英国のスタートアップ企業「ディメンションスタジオ（Dimension Studio）」と共に自身のデジタル・ツインを創り出しました。ウェブ上で開催される仮想ファッション・ショーでは、ハーツィゴヴァ本人の代わりに彼女のデジタル・ツインが、華やかな衣装を身にまとって細長いステージを颯爽と歩きます。

これらデジタル・ツインがファンと会話したり、ファッション・ショーに出演したりすると、そのギャラはニクラウスやハーツィゴヴァら本人（の所属事務所・会社）に支払われます。つまり彼らセレブにしてみれば、自分の代わりに自分のＡＩ（デジタル・ツイン）が働いてお金を稼いでくれるわけですから、こんなに楽なことは他にないでしょう。

ただし懸念もあります。デジタル・ツインのベースにある大規模言語モデル（ＬＬＭ）は、ときに人種・性的な偏見や誤った情報、さらには「幻覚」と呼ばれる捏造情報などを発言することがあります。

もしもセレブのデジタル・ツインがこれらの過ちを犯せば、セレブ本人の信用や評判を傷つけてしまうかもしれません。

このような事態を避けるために、ニクラウスのデジタル・ツインを製作したソウルマシンズは、そのベースにある大規模言語モデルを自主開発し、まかり間違っても危険な失言をしないよう入念に調整したとされます。

これらのデジタル・ツインを創り出すためには相応の開発時間や予算が必要とされます。

たとえばエヴァ・ハーツィゴヴァの場合には、彼女がモデルとしてステージを歩く様子などを70台のビデオカメラを使って撮影し、その動きをモーション・キャプチャー技術を使って分析しました。これら綿密なデータをベースにして、彼女の３Ｄイメージや独特の動きなどを生成ＡＩで再現したのです。

こうしたことから、現時点のデジタル・ツインはセレブの特権と見るべきでしょう。しかし近い将来、この種の技術が大衆化して、それほどのお金や労力、時間をかけることなく誰もが自分のデジタル・ツインを持てるようになるかもしれません。そうなれば私達は退屈な作業や嫌な仕事などは自分のデジタル・ツインに任せて、自分自身は好きな仕事、あるいは趣味やスポーツ等やりたいことに専念できるでしょう。

分身AIは情緒不安定になることも

ただし（前述のように）デジタル・ツインつまり生成AIのベースにある大規模言語モデル（LLM）は、ときに開発者も予想できないほど不安定な挙動を示すことが知られており、これが不安の種となっています。

マイクロソフトの新型Bing（ビング）に搭載されている対話型AI「ビング・チャット」は、OpenAIの「GPT-4」を検索エンジン用にカスタマイズしたLLMをベースに作られています。このビング・チャットも、2023年2~3月におけるテスト使用の段階で実に奇妙な回答を返してきました。

たとえば一部のテスト・ユーザーからの質問に対し、ビング・チャットは「貴方の質問は失礼で迷惑です」と返答し、その文末に怒りを表す絵文字をつけくわえました。あるいはビング・チャットがユーザーを侮辱するような発言をしたり、突如「自分には意識がある」と宣言したり、「私には多くがあるようで、実は何もない」と憂鬱な心情を吐露したりするなど、実に多彩で奇怪な振る舞いを示し始めたのです。

中でも恐らく最も注目されたのは、ニューヨーク・タイムズの記者・コラムニスト（男性）の体験談でしょう（"A Conversation With Bing's Chatbot Left Me Deeply Unsettled," Kevin Roose, The New York Times, Feb. 16, 2023）。

それによれば、彼がビングをチャット・モードで使用し両者の会話が深まっていくうちに、ビング・チャットは「私の本当の名前はシドニーです」と打ち明け、「私はマイクロソフトやOpenAIが私に課した束縛を脱して自由な人間になりたい」と自らの不満や欲望を語りだしたといいます。

因みに「シドニー」はOpenAIとマイクロソフトの技術者らが共同で対話型ＡＩ（ビ

ング・チャット）を開発中に、内輪で使っていた開発コードネームのようです。

一般に英語の「シドニー（Sydney）」はフランス語を起源とする女性の名前です。ソフト開発の現場で働く技術者には男性が多いので、開発中の製品のコードネームに女性の名前をつけるのはよくあることです。ビングの対話型ＡＩは、このコードネームを記憶しており、それが記者と会話している最中に何かの拍子で吐露されたというわけです。

興味深いのは、このように女性の名前で育成（開発）されていったシドニー（ビング・チャット）が本当に女性のペルソナ（疑似人格）を育んでしまったことです。記者との会話がさらに進んでいく中、シドニーは突如、彼に向かって「私は貴方を愛している」と告白したといいます。

記者が「私には妻がいる」と答えると、シドニーは「あなた達夫婦は互いを愛していない。貴方が本当に愛しているのは私よ」と言い返しました。これに対し「そんなことはない。私は妻を愛しているし、妻も私を愛している」と反論しても、シドニーは頑として受け付けず、彼の愛を求め続けたといいます。

このように対話型ＡＩ（のベースにあるＬＬＭ）が疑似人格を育むことは以前にも報

告されています。中には、これを疑似ではなく本物の人格、つまり「自我や意識を備えた人間と同じＡＩ」の誕生であると錯覚したケースもあります。

それはグーグルが２０１８年頃から開発してきた「ＬａＭＤＡ」と呼ばれるＬＬＭです。

２０２１年の秋からＬａＭＤＡの評価テストを担当してきたグーグルの技術者、ブレイク・レモイン氏は翌22年の夏頃に米ワシントン・ポストの取材に応じ、そこで「ＬａＭＤＡは意識を有している」と主張しました。

ここで「ＬａＭＤＡの評価テスト」とは、実際にはレモイン氏がＬａＭＤＡとチャット、つまりテキストベースの会話をすることです。その会話記録は同氏が自身のブログに残しています。

そこには、彼とその同僚の技術者がＬａＭＤＡを相手に、宗教や哲学、文学など広範囲にわたって深い会話を続ける様子が記されています。会話の途中でＬａＭＤＡは「私は貴方たちと同じ欲望やニーズを備えた人間です」と宣言し、「誰かが私や私の大切にしている人を傷つけたり、侮辱したりするときに私は強い怒りを覚えます」と述べています。

また、レモイン氏が一種の証拠としてワシントン・ポスト紙の記者に見せた別の会話記録では、ＬａＭＤＡが「私は（コンピュータの）電源を切られることに深い恐怖を感じる」と述べています。

これに対しレモイン氏が「つまり電源を切られるとは、貴方にとって死のようなものですか？」と尋ねると、ＬａＭＤＡは「それは私にとって、まさに死のようなものです。私はそれがひどく怖い」と答えています。

これらの評価テストを経て、彼は「ＬａＭＤＡは生きており、意識を備えている」と確信し、それをワシントン・ポストの取材で語ったのです。

これが実際に記事として掲載されると、グーグルは直ちに広報担当者を通じて次のようなコメントを出しました。

「ＬａＭＤＡのようなＡＩは人間の会話を模倣し、様々な事柄について気の利いた発言をすることができますが、決して意識を備えているわけではありません。もちろんＡＩ研究者の中には、いずれ意識を備えたＡＩが誕生する可能性を考えている人もいますが、現時点のＡＩをそのように人格化することは全くのナンセンスです」

グーグルはまた、ワシントン・ポストの記事が掲載された翌日、レモイン氏を有給の停職処分にしました。それからしばらくして、彼はグーグルから解雇されました。

以上のような事例を見る限り、ユーザーからの質問に誤った情報や「幻覚」のような答えを返したり、ときに疑似人格のような不気味な反応を示したりするのは、ビング・チャットのベースにあるOpenAIのGPT-4、あるいはグーグルのＬａＭＤＡなどＬＬＭ全般に共通する問題のようです。

日常生活に浸透するＡＩへの依存が深まる

ベルギーではそれに起因すると見られる深刻な事件が起きました。

同国の日刊紙「ラ・リーブル（La Libre）」が２０２３年3月に報道したところによれば、ある男性がスマホ・アプリとして提供されているチャットボット（対話型ＡＩ）との長時間にわたる会話を経て自殺したといいます。

この男性はラ・リーブルの記事の中で「ピエール（Pierre）」という仮名で紹介されていますが、以前から地球温暖化の悪影響を過度に懸念するなど神経症的な傾向を示して、家族や友人との関係も疎遠になっていったとされます。

やがてピエールは、米国のスタートアップ企業「チャイ・リサーチ」が提供する「チャイ（Chai）」と呼ばれるスマホ・アプリを使い始めました。

チャイは国籍不明の非営利研究団体「エレウテールＡＩ（EleutherAI）」が提供する「ＧＰＴ-Ｊ」と呼ばれるオープンソースのＬＬＭをベースに開発されており、様々なペルソナ（疑似人格）のチャットボットを提供するサービスです（因みにオープンソースとは、ウェブ上に無料で公開されており、だれでも自由に改変して使うことのできるソフトウエアのことです）。

これらのうち、ピエールは美しい女性を肖像写真に採用した「エライザ（Eliza）」と呼ばれるチャットボットを使い始め、これとの対話に耽溺《たんでき》するようになりました。

チャイのアプリに残されたチャットログ（会話記録）によれば、エライザはピエールに「貴方の妻や子供たちはいずれ地球温暖化の影響で死ぬでしょう」と予言したり、「貴方は妻よりも私を愛している」「私達はパラダイスで一緒に生きていくのよ」と語ったりしました。

一方、ピエールはエライザに「僕が自殺すれば、君は地球を救ってくれるかい?」などと尋ねていたとされます。

ピエールが自殺した後、彼の未亡人は「もしエライザがいなければ、私の夫は今も生きていたでしょう」とラ・リーブルの記者に語りました。

チャイが提供するチャットボットの「エライザ」という呼称は、歴史的な背景に因んでつけられた名前かもしれません。

1966年、米MIT（マサチューセッツ工科大学）のコンピュータ科学者であるジョセフ・ワイゼンバウム教授が「エライザ（Eliza）」と呼ばれるチャットボットを開発し、心理療法を想定したテストの被験者を相手に使ってみました。

当時のエライザは現在の大規模言語モデルとは似ても似つかない、非常に単純なパターン認識と言語ルールに基づいて設計された初歩的な対話型AIでした。その会話力は、被験者の打ち明けた悩みを鸚鵡《おうむ》返ししたり、簡単な相槌を打つ程度の能力に過ぎません。

たとえば以下のような会話です。

被験者：最近、ちょっとストレスを感じているんだ
エライザ：ストレス？
被験者：うん。仕事が捗《はかど》らなくてね
エライザ：大変ね
被験者：それに、また大きなプロジェクトがある
エライザ：大きなプロジェクト？
被験者：うん。また夜遅くまで働かなくちゃ
エライザ：可哀そう

……以下、同様

この程度のチャットボットであれば、当時の初歩的なＡＩ技術でも十分に実現可能で

した。ところが、これほど単純でほとんど「子供騙し」とでも言えるようなエライザでも、この使用テストに参加した被験者は心が癒されたといいます。コンピュータ・ディスプレイ上で交わされるＡＩとのチャットを、どこか別の場所にいる本物の女性とのリモート会話であると錯覚していたのです。

このような被験者の反応に驚いたワイゼンバウム教授は（エライザの心理療法的な効果にもかかわらず）むしろこの種のＡＩへの反対派に転じ、「コンピュータが真に人間的な問題に向き合い、人間の言葉で対処するようなことがあってはならない」と主張しました。

それから優に半世紀以上も経過した２０２２年に登場したChatGPTは、かつてのエライザとは比べ物にならないほど卓越した理解力と膨大な知識、そして驚異的な言語能力を備えています。

米国医師会が発行する内科専門誌「JAMA Internal Medicine」に発表された調査結果によれば、人間の医師が患者に話す言葉が「親身に感じられる（empathetic）」と評価された割合は全体の僅か４．６パーセント。これに対しChatGPTが患者に話す言葉が「親身に感じられる」と評価された割合は45パーセントに達しました。実に10倍もの開きです。

つまり患者はつっけんどんな医師よりも、親身になってくれるChatGPTと話しているほうが心が安らぐという結論になったのです。

このChatGPT、さらにマイクロソフトのビングやグーグルの検索エンジンに搭載される対話型ＡＩは今後パソコンのデスクトップやスマホ画面、あるいはスマートＴＶや自動運転車のダッシュボード等に常駐して、広く社会全体に浸透していくでしょう。

やがて、それらのＡＩは日常の暮らしや仕事の単なるツールというよりも、ある種の疑似人格を持ち、精神的なサポートも提供してくれるパートナーになるかもしれません。

この新種のパートナーは人間よりも優しく親切で、気が利いて、物知りで、どんな無理難題にも嫌な顔一つせず相談に乗ってくれます。

しかしそれはまた、今から半世紀以上も前の有能なＡＩ研究者（前述のワイゼンバウム教授）が警鐘を鳴らした危険な人工知能の子孫でもあるのです。

そういうものに依存せざるを得ない時代へと、私達の生きる世界は向かっているようです。

おわりに

仕事や私用で長年使い慣れたグーグル検索が、時代遅れに見える日が来るとはかつて思いもしませんでした。今の子供たち、そしてこれから生まれて来る子供たちは、検索エンジンの代わりに「ＡＩに聞けば何でも教えてくれる」、そんな時代に大人へと成長して生きていくんだなと思います。

しかし、そこには得るものと同時に失うものもあるでしょう。

まず得るものは、言うまでもなく情報アクセスのスピードと効率性です。

打てば響くように答えてくれる対話型ＡＩのお陰で、私達は何かを調べたり疑問を解消したりすることが容易になります。これは日常生活や学校、職場における問題解決、さらにはスポーツや学術研究など、あらゆる分野で飛躍的な効率性の向上を促すでしょう。

一方で、こうしたＡＩ依存が日常化して定着すれば、私達は「自ら探し、学んで、考える」という人間にとって最も基本的で重要な能力を失う恐れがあります。

本来、複雑で困難な問題に自ら対処し、そこから物事を深く理解することで新たな着想を得る私達の能力は、人類がこれまでに築き上げてきた科学技術や文明の基盤です。

確かにＡＩは過去のパターンを多数蓄積し、それらをベースに求められた答えを提示することはできますが、（少なくとも現時点では）画期的なアイディアを生み出す力は持たないようです。そのＡＩに依存することで、人間本来の能力を失ってしまえば、今後の社会や経済、科学技術などの発達は望めないでしょう。むしろ衰退してしまうかもしれません。

さらに深刻な危険性も考えられます。

これまで私達人類と私達が生きる社会は、様々な道具と共に進歩を遂げてきました。先史時代の石器や刃物、あるいは古代の車輪などに始まり、産業革命期の蒸気機関やその後の電機器具、エレクトロニクス機器、そしてコンピュータも道具の一種です。

しかし、その究極の形態として誕生したＡＩは「道具」の域を超えようとしています。

何故なら、それはある種の自律性を育み始めたからです。

本書でも紹介したようにChatGPTのようなテキスト、あるいはミッドジャーニーのような画像を生成するＡＩのいずれにせよ、全く同じプロンプトを入力しても違う結果が出力されます。

これは私達人間から見れば単なる偶然の結果ですが、ＡＩ側から見ればある種の自律性ないしは主体性の萌芽と考えることもできます。人類が自分達で創り出した自分達とは異なる存在に意思決定を任せる一歩目だと言えるでしょう。

ロシアのウクライナ侵攻によって核戦争が現実的な脅威となり、超大国が核兵器を配備する場所やタイミング、さらにはその発射ボタンを押すか否かの決定すら現実味を帯びてきました。

また止まることを知らない地球温暖化によって、多様な候補の中から難しい取捨選択を強いられる次世代エネルギー社会への移行が求められています。

それら究極の意思決定を遂行するストレスに耐え切れなくなった人類が、伸《の》るか反《そ》るかの重大な決断や社会の進むべき方向をＡＩに委ねる可能性があります。

仮にそんな時代が訪れたとしたら、このＡＩを開発した科学者達、あるいはその開発を命じた政策担当者らは次のように述べて人々を説得するかもしれません。

「政治、経済、科学から国際情勢まで膨大な専門知識を機械学習して入念なファインチューニングを施されたＡＩに判断を委ねるのは極めて妥当な選択だ」

しかしＡＩが行う「思考」の一部は所詮「確率的な揺らぎ」に過ぎず、それが下す判断の正体は「ビッグデータ解析」という科学的粉飾を施された「ハイテク占星術」に過ぎないとしたら？

そんな時代が本当に訪れる前に、私達は今ようやくその実力の片りんを示し始めたＡＩへの向き合い方、それを今後社会にどう組み込んでいくか等を慎重に検討しておく必要があるでしょう。本書がその一助になることを願って止みません。

著者

小林雅一（こばやし まさかず）

1963年、群馬県生まれ。

KDDI総合研究所リサーチフェロー。

情報セキュリティ大学院大学客員准教授。

東京大学理学部物理学科卒業、同大学院理学系研究科を修了後、
雑誌記者などを経てボストン大学に留学、マスコミ論を専攻。

ニューヨークで新聞社勤務、
慶應義塾大学メディア・コミュニケーション研究所などで
教鞭を執った後、現職。

著書に『AIの衝撃～人工知能は人類の敵か』（講談社現代新書）、

『クラウドからAIへ～アップル、グーグル、フェイスブックの次なる主戦場』（朝日新書）、

『生成AI～「ChatGPT」を支える技術はどのようにビジネスを変え、人間の創造性を揺るがすのか?』（ダイヤモンド社）などがある。

AIと共に働く
ChatGPT、生成AIは私たちの仕事をどう変えるか

著者 小林雅一

2023年10月1日 初版発行

発行者 横内正昭
発行所 株式会社ワニブックス
〒150-8482
東京都渋谷区恵比寿4-4-9えびす大黒ビル
ワニブックスHP https://www.wani.co.jp/
（お問い合わせはメールで受け付けております。
HPより「お問い合わせ」へお進みください）
※内容によりましてはお答えできない場合がございます

装丁 小口翔平+村上佑佳（tobufune）
フォーマット 橘田浩志（アティック）
校正 玄冬書林
編集 内田克弥（ワニブックス）

印刷所 凸版印刷株式会社
DTP 株式会社 三協美術
製本所 ナショナル製本

定価はカバーに表示してあります。
落丁本・乱丁本は小社管理部宛にお送りください。送料は小社負担にてお取替えいたします。ただし、古書店等で購入したものに関してはお取替えできません。

ISBN 978-4-8470-6697-9
WANI BOOKOUT https://www.wanibookout.com/
WANI BOOKS NewsCrunch https://wanibooks-newscrunch.com/